凱信企管

用對的方法充實自己，
讓人生變得更美好！

凱信企管

用對的方法充實自己，
讓人生變得更美好！

凱信企管

用對的方法充實自己，
讓人生變得更美好！

凱信企管

用對的方法充實自己，
讓人生變得更美好！

爽學
能少記，就不多背
量愈少，記愈好

無敵
300
常用片語

曾婷郁◎著

附贈：聽、說雙威全英MP3

學習無壓力
6大使用頻率分級 × 1500句超實用會話

從第一名學起最有效率！學會這300句，
口說、聽力、讀寫……英語能力全面提昇。

·前言·

　　你是否發現英文學了這麼多年，真正要派上用場的時候卻仍然啞口無言，好像永遠都少了那麼一句？其實，語言的目的首重溝通，能夠開口說、能夠聽得懂才是學習最重要的結果。然而，我發現許多只注重文法及單字的教學或學習方式，反而更阻礙了聽說能力的發展。

　　其實，根據專家表示，真正學好語文的方式，應是從常用的片語下手，因為，外國人就是愛用片語，大量使用片語才是老外真正的說話方式。所以，先學會外國人最常用的片語，不僅更容易開口說英文，也更能聽懂老外在說什麼；同時，閱讀及寫作能力也能相對提昇，建立學好英文的自信。

　　為此，我特別以「使用頻率分級、擺脫文法限制」的兩大學習方法，精選出老外常掛在嘴邊的 300 組片語，你只要從第一名開始依序學習，一定能讓你在最短的時間內，真正學會老外道地的口語會話，不用再浪費時間學些不重要的內容了。

　　片語是讓語言活起來的小功臣，也是句子中的重要關鍵，您只要跟著本書的腳步，照著書中的例句反覆練習，熟悉片語正確的使用時機，不要一再被艱深的文法阻礙學習，下次還到老外時，再也不必害怕與他們溝通對談了。更重要的是，本書還能幫助你習慣用英文去思考、培養英語腦，相信必能讓你自然而然地提昇英語力，在英文的世界裡溝通無障礙！

曾婷郁

目錄
Contents

使用說明

無敵有效 精選老外最常用的 300 組片語，按使用頻率分級，從使用強度最大的第一名開始學習最有效！

　　EX：Chapter1　1~50 使用頻率 100%

　　　　001 at home、

　　　　002 right away……

Chapter1 / 1 ～ 50 / 使用頻率 100%

002 　　　　MP3 Track 002

right away | 副 馬上

無敵好學 每一個常用片語皆清楚標註詞性，包含動詞片語、名詞片語、形容詞片語、介系詞片語……等，一本書就能接觸到類型最齊全的各類片語，讓你詞性種類不混淆，學習更透澈。

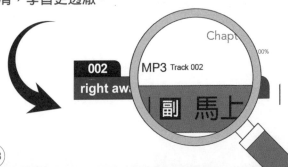

無敵好用 每一組片語，精心設計一實用例句以及兩組常用對話，讓你不僅能正確掌握使用片語時機，還能活用片語，藉由不斷的練習，英文聽、說、讀、寫能力，齊頭並進！

例句

It will be great if we can take a trip abroad **once in a while**.
如果我們可以偶爾出國一次將會是很棒的事情。

對話

▼ A: Remember to call on your grandma **once in a while**.
記得你偶爾要去探望你外婆喔！

▼ B: I will keep it in my mind.
我會記住的。

▼ A: I go fishing **once in a while**.
我偶爾會去釣魚。

▼ B: Great! Can I go with you next time?
真棒！我下一次可不可以跟你一起去？

聽、說雙威 MP3 強效加持！

收錄 300 組片語 X 300 個例句 X 600 組對話；每一片語單獨一音軌，查找更方便，邊聽邊學，讓你說英文發音更好、聽力更強。

002　　MP3 Track 002

ight away ｜副

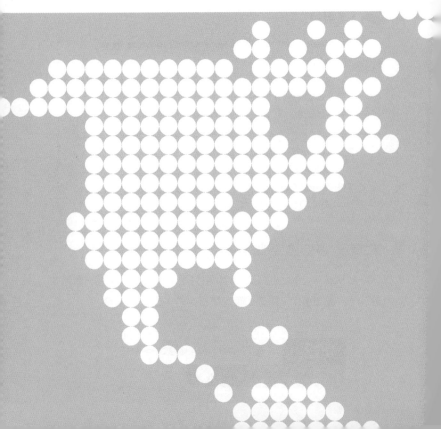

Chapter 1
片語 001 ～ 050

使用頻率
100%

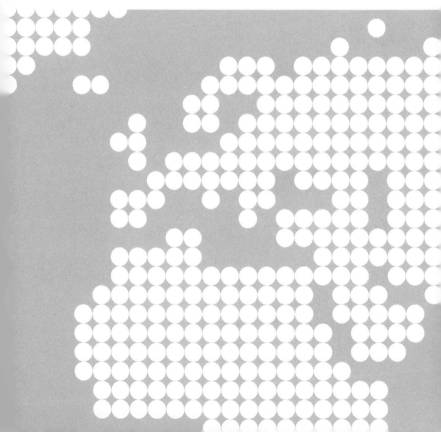

使用頻率
90%

Chapter 2
片語 051 ～ 100

001

 MP3 Track 001

at home | 副 在家

 例句

I prefer to spend time **at home** on holidays.
我假日喜歡待在家裡。

對話

▼ A: Oh my God! I left my files **at home**.
天啊！我把資料放在家了。

▼ B: Why don't you go back and get it? You still have time.
你為什麼不回去拿？你還有時間啊？

··

▼ A: How come your father is always not **at home**?
你爸爸怎麼一天到晚都不在家啊？

▼ B: His company requires him to take business trips very often.
因為他的公司常常需要他到處出差。

002

 MP3 Track 002

right away ｜副 馬上

例句

If you need further assistance, please let me know **right away**.
如果你需要其他協助，請馬上讓我知道。

對話

▼A: James, I need you to get this done **right away**.
詹姆斯，我需要你立刻就把這個做好。

▼B: OK, I will get to it immediately.
好的！我馬上就做。

▼A: Excuse me, Mr. Lee. Can you come here for a second?
對不起，李先生，你可不可以過來一下？

▼B: Sure, I will be there **right away**.
當然，我馬上就過去了。

003

 MP3 Track 003

be free │形 有空

例句

She will **be free** after this week.
這週之後她就會有空了。

對話

▼ A: When will you **be free** this week?
你這個禮拜什麼時候有空？

▼ B: Well, I still haven't decided what to do yet.
我還沒決定要做什麼耶。

▼ A: Do you want to see a movie this Saturday?
你星期六要不要去看一場電影啊？

▼ B: Sorry. I won't **be free** this Saturday.
對不起，我星期六沒有空。

004

 MP3 Track 004

deal with |動 處理

CH
1

CH
2

CH
3

CH
4

CH
5

CH
6

例句

We have to **deal with** this awkward situation as soon as possible.
我們必須要盡快處理這個糟糕的狀況。

對話

▼ A: I find it is difficult to **deal with** kid's problems.
我覺得處理小孩的事情很麻煩。

▼ B: Maybe you should practice more.
也許你應該多多練習。

▼ A: Why are you so angry?
你為什麼那麼生氣？

▼ B: I don't have any patience to **deal with** this problem anymore.
我真的再也沒有任何耐心來處理這個問題。

005

MP3 Track 005

get over something
動 克服／復原

例句

I can never **get over** the pain she caused me.
我一直無法克服她帶給我的痛苦。

對話

▼ A: I heard that you broke up with your girlfriend.
我聽說你和你的女朋友分手了。

▼ B: Yeah. But I will **get over** it.
是啊，但是我會好起來！

....

▼ A: It takes a long time for soldiers to **get over** their trauma of war.
軍人要花很長的時間才能從戰爭的創傷中復原。

▼ B: They need to seek professional help.
他們需要尋求專業的協助。

006

 MP3 Track 006

for good ｜副 永遠

CH **1**

CH **2**

CH **3**

CH **4**

CH **5**

CH **6**

例句

John left his hometown at the age of ten **for good**, and never came back to it.
約翰在十歲後就永遠離開他的故鄉，沒有再回去過了。

對話

▼A: I won't come back **for good**.

我再也不會回來了。

▼B: Fine! I don't want to see you, either.

好！反正我也不想再看到你了。

▼A: I am afraid that I will never see you again **for good** after I leave here.

我很怕我離開這裡之後就再也見不到你了。

▼B: Don't worry. We will meet again in the future.

別擔心，我們未來會再相遇的。

007

 MP3 Track 007

let someone down
動 使……失望

例句

He always **let her down**.
他總是讓她失望。

對話

▼A: I will get these files organized by Friday.
我會把這些檔案在星期五以前整理好。

▼B: Please don't **let me down**.
請不要讓我失望。

▼A: I promise that I will not **let you down**.
我保證我不會讓你失望。

▼B: Try your best to do it.
那就盡全力去做吧！

008

 MP3 Track 008

for nothing |副 免費 / 徒然

CH **1**

CH **2**

CH **3**

CH **4**

CH **5**

CH **6**

例句

All their efforts went **for nothing** because the contest was cancelled.

比賽取消了，他們的一切努力都白費了。

對話

▼ A: How much is your new bike?

你的新腳踏車多少錢？

▼ B: I got it **for nothing**. It is a present.

那是免費的，那是個禮物。

⋯⋯⋯⋯⋯⋯⋯⋯⋯⋯⋯⋯⋯⋯⋯⋯⋯⋯⋯⋯⋯⋯⋯⋯⋯⋯⋯⋯

▼ A: Due to the fire accident, two years of hard work went **for nothing**.

因為火災，我們兩年的辛苦工作都白費了。

▼ B: I am sorry for your loss.

我真同情你們的損失。

009

 MP3 Track 009

once in a while | 副 偶爾

例句

It will be great if we can take a trip abroad **once in a while**.

如果我們可以偶爾出國一次將會是很棒的事情。

對話

▼A: Remember to call on your grandma **once in a while**.

記得你偶爾要去探望你外婆喔！

▼B: I will keep it in my mind.

我會記住的。

. . . .

▼A: I go fishing **once in a while**.

我偶爾會去釣魚。

▼B: Great! Can I go with you next time?

真棒！我下一次可不可以跟你一起去？

010

 MP3 Track 010

by the way | 副 順帶一提

CH 1

CH 2

CH 3

CH 4

CH 5

CH 6

例句

Jenny is my sister's friend, and **by the way**, a smart woman.
珍妮是我姐姐的朋友,順帶一提,也是個聰明的女人。

對話

▼A: We will meet Tom tomorrow, and **by the way**, he is getting engaged next week.
我們下禮拜會見到湯姆。對了,順帶一提,他下禮拜要訂婚了。

▼B: Wow! Really?
哇!真的啊?

· ·

▼A: **By the way**, I am getting some coffee. Anybody wants some?
喔,對了,我要倒一些咖啡,有沒有人要啊?

▼B: No, thanks. I need to go to bed early tonight.
不用了,我今晚得早一點睡覺。

011 MP3 Track 011

talk about someone/something
動 說到誰／什麼

例句

When Mr. Lin **talks about** trip, he shares the backpacker experiences.
當林先生說到有關旅行的話題時，他會分享自助旅行的經驗。

對話

▼A: Has anybody seen Andrew this morning?
今天早上有沒有人看到安德魯？

▼B: No, but we were just **talking about** him.
沒有，但是我們剛剛說到他呢！

··

▼A: Have you got a moment? There is something that we need to **talk about**.
你現在有時間嗎？我們有些事情需要商量一下。

▼B: Sure.
沒問題。

012

 MP3 Track 012

go out ｜動 出去

CH 1

CH 2

CH 3

CH 4

CH 5

CH 6

例句

She usually does makeup before she **goes out** for a date.
在出門約會之前她通常會先化妝。

對話

▼A: When will you **go out** tonight?
你今天晚上幾點要出去？

▼B: Around eight.
八點左右吧！

▼A: Do you want to come over to my house and watch NBA together?
你要不要來我家和我一起看 NBA 啊？

▼B: No, thanks. I am **going out** at six.
不了，謝謝！我六點左右要出去。

013

 MP3 Track 013

get home/get back
動 回家／回來

例句

Mr. Wang's dog always waits for him to **get home** at the front of the house at five.

下午五點，王先生的狗總是會待在屋子門前等著他回家。

對話

▼A: When did you **get back**?

你什麼時候回來的？

▼B: I don't remember.

我不記得了。

....

▼A: I need to **get home** before ten.

我十點以前需要回到家。

▼B: Come on. We are just starting to have fun.

拜託，好玩的才正要開始呢！

014

 MP3 Track 014

feel like something
動 想要；意欲……

CH **1**

CH **2**

CH **3**

CH **4**

CH **5**

CH **6**

例句

She **feels like** making more new friends at a new school.
她想要在新學校交到更多新朋友。

對話

▼A: How can you do that kind of thing?
你怎麼可以做那種事啊？

▼B: It's none of your business. I just **feel like** doing it.
那不關你的事，我只是想做罷了。

· ·

▼A: I **feel like** going swimming today.
我今天想要游泳。

▼B: OK. I can go with you.
好啊！我可以跟你一起去。

015

 MP3 Track 015

hear from | 動 接到……的信息

例句

I haven't **heard from** him since last summer.
自從去年夏天我就沒有他的消息了。

對話

▼A: Where have you been? I haven't **heard from** you for a long time.
你去了哪裡啊？我好久都沒有你的消息了。

▼B: I went on a long vacation to Japan.
我放了一個長假去日本。

▼A: Thank you for attending the interview today.
謝謝你今天來參加面試。

▼B: I am looking forward to **hearing from** your further reply soon.
我期待能早日收到您的進一步答覆。

016

MP3 Track 016

pay attention (to)
動 專心；注意

CH
1

CH
2

CH
3

CH
4

CH
5

CH
6

例句

Be quiet! **Pay attention** in class.
安靜，上課要專心！

對話

▼ A: I still can't understand what the teacher said.
我還是聽不懂老師說的話。

▼ B: If you had **paid attention**, you would understand.
如果你專心一點，你就會聽的懂了。

．．

▼ A: I think you should **pay more attention to** your spelling.
我想你應該多注意你的拼寫。

▼ B: Thank you for your advice.
謝謝你的建議。

017

 MP3 Track 017

eat out | 動 出去吃

🔍 例句

The couple usually **eats out** to celebrate Valentine's Day.

那對情侶通常在情人節時出去外面吃飯慶祝。

⚙ 對話

▼ A: I am too tired to cook.

我累到沒力氣煮飯。

▼ B: It's all right. We can **eat out** today.

沒關係！我們今天可以出去吃。

▼ A: Do you want to **eat out** tonight?

你今天晚上要不要出去吃？

▼ B: Yeah! Let's go to that new restaurant.

好啊！我們去那家新的飯店。

018 MP3 Track 018

get ready (to) | 動 準備好要⋯⋯

例句

We can start the meeting anytime when you **get ready**.
你準備好我們隨時可以開始會議。

對話

▼A: How come you are always late?
你怎麼老是慢吞吞的啊？

▼B: Hey! Women need more time. Besides, I'm **getting ready to** go.
喂！女人都需要多一點時間準備啊！而且我正準備好要出門了。

⋯⋯⋯⋯⋯⋯⋯⋯⋯⋯⋯⋯⋯⋯⋯⋯⋯

▼A: You only have twenty minutes to **get ready**.
你只有二十分鐘準備。

▼B: Don't worry. I am ready.
別擔心，我已經準備好了！

CH 1
CH 2
CH 3
CH 4
CH 5
CH 6

019

 MP3 Track 019

No kidding./? |名 沒開玩笑的（真的）／真的還假的？

例句

No kidding! It is impossible for a kid to finish homework in such a short time.

開玩笑吧！這麼短時間要一個孩子完成功課是不可能的。

對話

▼ A: I can run a hundred meters in ten seconds.

我一百公尺可以跑十秒。

▼ B: Ten seconds? **No kidding**?

十秒？真的還假的？

....

▼ A: Are you sure this is the right way?

你確定是這一條路嗎？

▼ B: **No kidding**. I have been there many times.

當然！我去那裡很多次了！

020 MP3 Track 020

Sounds good | 動 聽起來不錯

CH 1

CH 2

CH 3

CH 4

CH 5

CH 6

例句

Your suggestion **sounds good**, but I have to think about it for a while.
你的建議聽起來不錯，但是我還是得想一下。

對話

▼A: I want to go swimming.
我想要去游泳。

▼B: **Sounds good**. Where do you want to go?
聽起來不錯啊！你想去哪裡游？

▼A: It **sounds good** to me to develop a new hobby.
我覺得培養一個新的興趣聽起來不錯。

▼B: You must try it.
你一定得試試看！

021

 MP3 Track 021

take care of | 動 照顧

例句

Mother birds **take care of** their young until they grow up.
母鳥會照顧幼鳥直到牠們長大。

對話

▼ A: Are you experienced in **taking care of** babies?
你有沒有過照顧嬰兒的經驗？

▼ B: Of course, I have got a little sister who is thirteen years younger than me.
當然囉！我有一個比我小十三歲的妹妹耶！

▼ A: Can you **take care of** my dog while I am on my vacation?
我出國度假的時候，你可不可以幫忙照顧我的狗？

▼ B: Sure, just tell me what to feed it.
當然囉！你只要告訴我要餵牠什麼。

022

 MP3 Track 022

take off ｜動 脫下、拿下、起飛

CH 1

CH 2

CH 3

CH 4

CH 5

CH 6

例句

Can you hurry up? The plane will **take off** in an hour.

你可不可以快一點啊？飛機再一個小時就要起飛了。

對話

▼A: Oh-no. I spilled juice on my new shirt.

糟了！我把果汁灑在我的新襯衫上了。

▼B: **Take off** your shirt and I will clean it for you right now.

把你的上衣脫下，我現在就幫你洗。

....

▼A: You should **take off** your hat after entering the indoor environment.

在你進入室內之後應該要脫掉你的帽子。

▼B: That is right. It will be much more polite.

是啊，那會比較有禮貌。

023

 MP3 Track 023

used to | 動 以前常……

📀 例句

I wish everything could be like what it **used to** be.
我希望一切都像以前那樣。

⚙️ 對話

▼ A: How do you go to work?
你怎麼去上班？

▼ B: I **used to** take the bus, but now I take the MRT.
我以前搭公車，現在我搭捷運。

▼ A: We **used to** have lunch at the restaurant when we were undergraduate students.
當我們還是大學生的時候，很常在那家餐廳吃飯。

▼ B: Yeah. I remember.
對啊，我記得。

024  MP3 Track 024

What's going on? | 副
發生了什麼事？

CH **1**

CH **2**

CH **3**

CH **4**

CH **5**

CH **6**

例句

What is going on with you? It seems you are in a bad mood.
你發生了什麼事嗎？你看起來好像心情不好。

對話

▼A: **What is going on** out there?
外面發生了什麼事啊？

▼B: There was a car accident.
剛剛發生了車禍。

• •

▼A: **What's going on** in the kitchen?
廚房裡發生了什麼事？

▼B: Sarah burned the kettle.
莎拉把水壺燒壞了。

025

 MP3 Track 025

fall in love (with)
動 墜入愛河；愛上

例句

I think it takes some time to truly **fall in love with** someone.

我認為要真心愛上一個人是需要花一些時間的。

對話

▼ A: I wish that I would never **fall in love** again.

我希望我再也不要談戀愛了。

▼ B: Cheer up. Not everyone is like your ex-boyfriend.

開心一點嘛！不是每一個人都和你前任男朋友一樣。

▼ A: I **fell in love with** her when I first saw her.

我第一眼看到她就知道我會愛上她。

▼ B: Be careful. I have heard a lot of rumors about her.

小心一點，我聽過許多關於她的傳言。

026

 MP3 Track 026

leave someone/something alone |動 別理他／它

CH 1

CH 2

CH 3

CH 4

CH 5

CH 6

例句

The best way to deal with a mad man is to **leave him alone**.
當一個男人在生氣的時候，最好的處理方式就是讓他獨處。

對話

▼A: I am sorry to break your model. I really didn't mean it.
對不起，我把你的模型弄壞了。我不是故意的。

▼B: Didn't I tell you to **leave it alone**?
我不是叫你別碰它嗎？

▼A: Let's ask Peter if he wants to go with us or not.
我們來問問彼特他要不要和我們一起出去。

▼B: We had better **leave him alone** and let him get some rest.
我們最好讓他靜一靜，不要理他。

027

 MP3 Track 027

on purpose | 副 故意的

例句

The naughty boy stepped on the garden **on purpose**.

那個調皮的男孩故意踩在花園上。

對話

▼A: I think he did that **on purpose** to make you angry.

我覺得他是故意那樣做來讓你生氣的。

▼B: Really? Why?

真的嗎？為什麼？

··

▼A: How can you break the glass I just bought?

你怎麼把我剛買的杯子打破了？

▼B: I didn't do it **on purpose**.

我不是故意的。

028

 MP3 Track 028

put something back ｜動 放回去

CH **1**

CH **2**

CH **3**

CH **4**

CH **5**

CH **6**

例句

You should **put everything back** after using them.
使用完任何東西你都應該把它們放回原位。

對話

▼A: Remember to **put the books back** after reading them.
唸完那些書之後你要記得放回去。

▼B: OK. I will.
好的，我會。

▼A: Can you lend me your tools?
你可不可以借我你的工具？

▼B: Sure. But **put them back** when you are done.
當然！你用完要放回去。

029

 MP3 Track 029

wake someone up
動 把某人叫醒

例句

Please **wake me up** at nine.
請在九點鐘把我叫醒。

對話

▼A: Hey! Walk slowly. Do you want to **wake my parents up**?
嘿！走慢一點。你想要把我爸媽吵醒嗎？

▼B: Sorry. I will be careful.
對不起，我會小心的。

....

▼A: Please **wake me up** tomorrow morning at seven.
明天早上七點時請叫我起床。

▼B: No problem. Go to bed quickly.
沒問題，趕快去睡覺吧。

030

 MP3 Track 030

as usual ｜副 和平常一樣

CH **1**

CH **2**

CH **3**

CH **4**

CH **5**

CH **6**

例句

Sandy finishes her work in time **as usual**.
珊迪如往常一樣在時間之內完成工作。

對話

▼ A: Hi! What do you want to eat today?
嗨！你今天想要吃什麼？

▼ B: **As usual**, a burger and some fries.
和平常一樣，一個漢堡和一些薯條。

⋯⋯⋯⋯⋯⋯⋯⋯⋯⋯⋯⋯⋯⋯⋯⋯⋯⋯⋯⋯⋯⋯⋯

▼ A: What did your boss tell you?
你的老闆跟你說了什麼？

▼ B: **As usual**, he told me not to be late for work.
和平常一樣，他叫我上班別遲到了。

031

 MP3 Track 031

all of a sudden | 副 突然

例句

Mom's friend calls on her **all of a sudden** last Saturday.
媽媽的朋友上星期六突然來拜訪她。

對話

▼ A: What happened after that?
那之後發生了什麼事？

▼ B: I don't know. Everything happened **all of a sudden**.
我不知道，一切都發生的太突然了。

‥‥‥‥‥‥‥‥‥‥‥‥‥‥‥‥‥‥‥‥‥‥‥‥‥‥

▼ A: Can you help me find Jeff?
你可不可以幫我找傑夫？

▼ B: Keep on looking. Nobody would disappear **all of a sudden**.
我們再繼續找，沒人會突然不見啊！

032

 MP3 Track 032

all over 　副 到處

例句

That company has branches **all over** the world.

那公司世界各地都有分公司。

對話

▼ A: Your room is really in a mess. There are clothes **all over** the place.

你的房間真亂，到處都是衣服。

▼ B: I know. I am used to it.

我知道，我習慣了。

▼ A: We can take a walk **all over** the park.

我們可以在公園四處走走。

▼ B: Sounds great.

聽起來不錯。

033

 MP3 Track 033

pick up |動 接送 / 撿起來

 例句

Can you **pick up** the pen for me? My hands are not free now
你可不可以幫我把筆撿起來？我現在沒有空手。

My mother **picked me up** everyday when I was studying elementary school.
在我讀國小的時候我媽媽每天都接送我。

對話

▼A: The movie starts at nine.
電影九點開始。

▼B: OK. Then I will **pick you up** at eight.
好的！那我八點來接你。

034

 MP3 Track 034

So far, so good.
副 目前一切都好

 例句

So far, so good, but I have a math exam tomorrow.
目前一切都很好，但是我明天有一個數學考試。

對話

▼ A: How is your new job?
你的新工作如何？

▼ B: **So far, so good**.
目前一切都好。

▼ A: Is everything on schedule?
一切都如期嗎？

▼ B: Yes, things are **so far, so good**.
對啊！目前一切都好。

035

 MP3 Track 035

as soon as possible
副 越快越好

例句

If you change your mind, you shall let your partner know **as soon as possible**.

如果你改變主意了的話，你應該盡快讓你的夥伴知道。

對話

▼A: We have to get this report done **as soon as possible**.

我們越快把這個報告弄好越好。

▼B: OK. I will work on it right away.

好！我現在就開始做了！

▼A: When will you need this job done?

這份工作你需要什麼時候完成？

▼B: **As soon as possible**.

越快越好。

036

 MP3 Track 036

be sorry for something
形 對……感到抱歉

CH 1

CH 2

CH 3

CH 4

CH 5

CH 6

例句

I **am sorry for** causing inconvenience to you.
造成你的困擾我很抱歉。

對話

▼A: **Sorry for** interrupting, but can I have a minute with you?

對不起，打擾一下，我可不可以跟你借一分鐘？

▼B: Sure.

當然囉！

▼A: Danny, I **am sorry for** what I have said to you last week.

丹尼，我為我上星期對你說的事感到抱歉！

▼B: It's all right. I have already forgotten about it.

沒關係，我已經忘記了。

037

 MP3 Track 037

come from |動 從……來

例句

The transfer student **comes from** Japan.
那位轉學生是從日本來的。

對話

▼A: Do you know where the new employee **comes from**?
你知道新的員工是從哪裡來的？

▼B: Who knows? Why don't you ask him yourself?
誰知道？你為什麼不自己問他？

▼A: Where do you **come from**?
你是哪裡人？

▼B: I **come from** the United States.
我從美國來。

038

 MP3 Track 038

get better | 動 好一點

CH **1**

CH **2**

CH **3**

CH **4**

CH **5**

CH **6**

例句

I **got better** after I took the medicine.
我在吃藥之後感覺好多了。

對話

▼ A: How long will it take for my leg to **get better**?
我的腳什麼時候才會好一點？

▼ B: About a month or so.
大概一個月吧！

....

▼ A: The old lady hasn't **gotten better** since she visited the hospital for the first time.
自從這個老太太第一次來醫院之後，病情就一直沒有好轉。

▼ B: That's too bad.
真是太糟了。

039

 MP3 Track 039

stand up | 動 站起來

例句

It is polite for students to **stand up** and greet with the teacher before the class begins.
學生在上課之前站起身來和老師打招呼是一種禮貌。

對話

▼A: After the car accident, he couldn't **stand up** anymore.
車禍之後，他就不能站起來了。

▼B: Poor thing.
他真可憐。

▼A: What were you doing **standing up** in the middle of the class?
剛剛上課中你站著幹嘛？

▼B: My teacher asked me to **stand up** for thirty minutes as punishment.
我的老師叫我罰站三十分鐘。

040

 MP3 Track 040

sit down |動 坐下

CH
1

CH
2

CH
3

CH
4

CH
5

CH
6

例句

The students didn't **sit down** until their teacher requested them.

一直到老師要求以前，學生們都沒有坐下。

對話

▼ A: Could you please **sit down** for a while first?

可不可以請你先坐著一下？

▼ B: No problem at all.

沒有問題。

. . . .

▼ A: Feel free to **sit down**.

請隨意坐著就好。

▼ B: Thank you.

謝謝你。

041

 MP3 Track 041

take a walk / go for a walk
動 散步

例句

We usually **take a walk** after dinner.
我們通常在晚餐之後會去散步一下。

對話

▼ A: My boyfriend and I **went for a walk** in the park yesterday.
我和我的男朋友昨天去公園散步。

▼ B: Wow! How romantic!
哇！真浪漫！

▼ A: My grandparents always **go for a walk** early in the morning.
我的祖父母早上總是會去散步。

▼ B: That's good. It's good for their health.
那很好啊！那對他們的健康有益。

042

 MP3 Track 042

after a while
副 一下之後;一段時間之後

例句

After a while, the bus came.
我等了一下,公車就來了。

對話

▼ A: I remembered that you don't like to eat fish.
　　 我記得你很討厭吃魚。

▼ B: Well, I get used to it **after a while**.
　　 過了一段時間之後就習慣了。

・・・

▼ A: It is so hard to adapt to a new environment.
　　 要融入新環境好難喔。

▼ B: You will get used to it **after a while**.
　　 你過一陣子之後就會習慣了。

043　MP3 Track 043

give something back / give back something | 動 歸還

例句

I decided not to talk with Harry until he **gives my money back**.

我決定在哈利還我錢以前都不要和他說話。

對話

▼A: When will you **give back** my books?

你什麼時候要把我的書還給我？

▼B: I thought I had already **given them back** to you last week.

我以為上禮拜就已經把它們還給你了。

▼A: I really need you to **give my money back**.

我真的需要你還我錢了。

▼B: I am very sorry. I don't have enough money right now.

對不起。我現在還沒有足夠的錢。

044

 MP3 Track 044

look for ｜動 找

CH 1

CH 2

CH 3

CH 4

CH 5

CH 6

例句

The police spent so much time **looking for** the lost girl.
警方花費非常多時間在搜尋那個失蹤的女孩。

對話

▼A: What are you **looking for**?
你在找什麼東西？

▼B: I forgot where I put my glasses.
我忘記我的眼鏡放在哪裡了？

▼A: I am **looking for** Peter. Do you know where he is?
我在找彼特，你知道他在哪裡嗎？

▼B: He has already gone to work.
他已經去上班了。

045  MP3 Track 045

as a matter of fact │副│ 實際上

例句

As a matter of fact, I never know anything about Japanese history.
實際上，我對於日本歷史一無所知。

對話

▼A: How can you play the piano so well?
你怎麼這麼會彈琴啊？

▼B: **As a matter of fact**, I have been learning since I was seven.
其實，我從七歲就開始學琴了。

▼A: The exam was very hard.
那考試好難喔！

▼B: It is because you didn't study. **As a matter of fact**, I thought it was easy.
那是因為你沒有讀書啊！實際上，我覺得很簡單。

046

 MP3 Track 046

believe in someone / something
動 相信某人 / 某事

例句

Christians **believe in** the power of Jesus, so they pray when they feel frustrated.
基督徒堅信耶穌的力量，所以他們會在感覺挫折時祈禱。

對話

▼ A: Do you **believe in** ghost?

你相信有鬼的存在嗎？

▼ B: No, I don't think it is real.

不，我不相信那是真的。

....

▼ A: I don't think Mary can make it by herself.

我不相信瑪麗可以自己完成。

▼ B: I **believe in** Mary. She can do it.

我相信瑪麗。她可以的。

047

 MP3 Track 047

by mistake | 副 不小心

🔍 例句

She dialed the wrong number **by mistake**, so no one answered the phone.
她打錯電話號碼，所以沒有人接電話。

⚙ 對話

▼A: Have you seen my bag? I can't find it.
你有沒有看到我的包包？我找不到耶。

▼B: Maybe someone took it **by mistake**.
也許有人不小心拿走了。

▼A: What took you so long to get here?
你怎麼那麼久才來啊？

▼B: I took the wrong bus **by mistake**.
我不小心搭錯公車了。

048

MP3 Track 048

CH 1

CH 2

CH 3

CH 4

CH 5

CH 6

count on someone / something
動 依賴、指望某人或某事

例句

It is not a good habit to **count on** other's help all the time.
總是仰賴別人的幫忙不是一個好習慣。

對話

▼ A: I can't imagine that Paul didn't show up.
我不敢相信保羅沒有來。

▼ B: We should have never **counted on** him.
我們不應該指望他的。

▼ A: How come you and Freddy are such good friends?
你和佛來迪為什麼會是那麼好的朋友啊？

▼ B: Because we can always **count on** each other.
因為我們總是可以彼此互相依賴。

049

 MP3 Track 049

get rid of someone / something
動 把 ...... 丟掉、除去

例句

I ask John to **get rid of** the dirty clothes quickly.
我叫約翰趕快把髒衣服丟掉。

對話

▼A: Why are there so many things at your door?
你門口怎麼那麼多東西啊？

▼B: Those are the things that I want to **get rid of**.
那一些是我要丟掉的東西。

....

▼A: The new employee is such a pain.
那新進員工真的很討厭。

▼B: Yeah. I hope that the manager can **get rid of** him soon.
對啊！我希望經理可以快一點把他開除。

050

 MP3 Track 050

drive someone crazy
動 使某人發狂

CH
1

CH
2

CH
3

CH
4

CH
5

CH
6

例句

The noise of traffic at night **drives me crazy**.
晚上的車聲快把我逼瘋了。

對話

▼ A: Can you turn down the music? It is **driving me crazy**.

你的音樂可不可以關小聲一點？快把我逼瘋了。

▼ B: I am sorry. I didn't know it annoys you.
對不起，我不知道它會讓你惱怒。

....

▼ A: The hot weather is **driving me crazy**.
這熱天氣快把我逼瘋了。

▼ B: Maybe you should calm down first.
也許你應該先冷靜一下。

051

 MP3 Track 051

in a moment | 副 馬上

例句

When the phone rings, Mr. Wu answers it **in a moment**.

當電話響起時，吳先生馬上就接起來了。

對話

▼ A: Come on! We are leaving.

快一點！我們要走了。

▼ B: I will be there **in a moment**.

我馬上就好了。

▼ A: Excuse me. I am looking for Mr. Chang.

對不起，我在找張先生。

▼ B: He will be with you **in a moment**. Please have a seat first.

他馬上就來了，請先坐一下。

052

 MP3 Track 052

run out (of) │動 用完，用盡

例句

We **ran out of** time before discussing the most important part.
我們在討論到最重要的部分之前就已經把時間用完了。

對話

▼A: Why are you stopping the car?
你幹嘛把車停下來？

▼B: I think we **ran out of** gas.
我想我們車子沒有油了！

▼A: Can I have a glass of Coke?
可以給我一杯可樂嗎？

▼B: Sorry, we just **ran out of** coke. How about iced tea?
對不起，我們沒有可樂了，冰紅茶好不好？

CH 1
CH 2
CH 3
CH 4
CH 5
CH 6

053

 MP3 Track 053

in case (that)… | 連 以防萬一

例句

I will send you an email of confirmation just **in case** you forget the scheduled time.
我會再寄給你一封確認的電子郵件以防你忘記預定的時間。

對話

▼ A: Why do you always keep a spare key in your purse?
你為什麼總是在皮包裡留一支多餘的鑰匙？

▼ B: Just **in case** I forget to bring it with me.
以防我有天忘記帶！

▼ A: Are you sure the doors are locked?
你確定門都鎖了嗎？

▼ B: Yes, but I will double-check it **in case** I forget.
是啊，我會再確定一次，萬一我忘記的話。

054

 MP3 Track 054

on account of ｜連 由於

CH
1

CH
2

CH
3

CH
4

CH
5

CH
6

例句

I agreed Tom to go on dates with him **on account of** his kindness.
我因為湯姆的仁慈而開始和他交往。

對話

▼ A: We have to cancel the game **on account of** the bad weather.
因為天氣不好，我們必須要取消比賽。

▼ B: That's too bad.
那真是太糟了。

....

▼ A: **On account of** the delay of the train, I might not get there in time.
因為火車誤點，我可能沒辦法及時到那邊。

▼ B: OK. I see.
好的，我懂了。

055

 MP3 Track 055

think over something

動 考慮一下……

例句

I have to **think over** it before I make the decision.
我在下決定之前必須要好好考慮一下。

對話

▼ A: Do you want to come with us next Monday?
你下星期一要不要跟我們一起去？

▼ B: Let me **think it over**. I will give you an answer tomorrow.
讓我考慮一下。我明天會給你答案的。

▼ A: You better **think over** the plan carefully.
你最好把計畫考慮清楚。

▼ B: Then can you give me a couple more days?
那麼你可不可以再多給我幾天時間？

056

 MP3 Track 056

work on something ｜動 做……

例句

I enjoy **working on** project with my team members.
我很享受和我的隊友一起做專案。

對話

▼ A: Wow! That model looks really cool.
哇！那模型真酷耶！

▼ B: I **worked on** it for more than a week.
我花了一個多禮拜才做好的。

▼ A: Where have you been these days? I was trying to find you.
你最近都去了哪裡？我一直試著在找你。

▼ B: I was **working on** the future plan of our company.
我在幫我們公司做未來的計畫。

057

 MP3 Track 057

get along (with) ｜動 和……相處

例句

I **get along well with** my mother since my childhood, so we are like friends.

我從小時候就跟我媽媽相處的很好,所以我們就像朋友一樣。

對話

▼ A: It is hard to **get along with** a guy like him.

和他那種人相處真難!

▼ B: Yeah, he gets into a temper easily.

對啊!他容易發脾氣。

⋯⋯⋯⋯⋯⋯⋯⋯⋯⋯⋯⋯⋯⋯⋯⋯⋯⋯⋯

▼ A: I heard that you and Jeff got into a fight yesterday.

我聽說你和傑夫昨天吵架了!

▼ B: No, we **got along** very well.

不,我們相處得很愉快。

058

 MP3 Track 058

hang up | 動 掛斷電話 / 掛起來

例句

Her mother requires her to **hang up** after she talks over the phone for two hours.

在她講了兩個小時的電話之後,她媽媽要求她掛掉電話。

對話

▼ A: I need some hangers to **hang** my clothes **up**.

我需要一些衣架掛我的衣服。

▼ B: There are some in my closet.

我的衣櫃裡還有一些。

┄┄┄┄┄┄┄┄┄┄┄┄┄┄┄┄┄┄┄┄┄┄┄┄┄┄┄┄┄┄┄

▼ A: Can you please **hang up**? I really need to use the phone.

你可不可以把電話掛斷?我真的很需要用電話。

▼ B: OK. Just give me a minute.

好啦!再給我一分鐘。

059

 MP3 Track 059

How about doing something?
做……如何？

🔘 例句

How about going hiking on summer vacation?
I think it would be interesting.
這個暑假我們去健行好嗎？我覺得那應該會很有趣。

⚙️ 對話

▼ A: What do you want to do on the weekend?
你週末想要做什麼？

▼ B: **How about** going to the movies?
去看看電影如何？

....

▼ A: I am so hungry. **How about** ordering pizza?
我好餓喔！我們點披薩如何？

▼ B: Fine with me.
我沒意見啊！

060

 MP3 Track 060

help someone out | 動 幫忙某人

CH 1

CH 2

CH 3

CH 4

CH 5

CH 6

例句

I have been grateful to Mr. Wang after he **helped me out** last month.

自從上個月王先生幫助我之後，我就一直很感謝他。

對話

▼ A: Can you **help me out** by getting the hammer for me?

你可不可以幫我拿錘子？

▼ B: Yeah. Why not?

好啊！有何不可？

. . . .

▼ A: I can't **help you out** if you don't tell me anything.

如果你什麼都不說，我就不能幫你了。

▼ B: Fine! I will tell you.

好吧！我告訴你吧！

061

 MP3 Track 061

look at/take a look at someone/ something |動 看看某人／東西

例句

John invited me to **take a look at** his new house.

約翰邀請我去看看他的新家。

對話

▼A: **Loot at** Jame's new car!

看看詹姆士的新車！

▼B: Wow! It's cool!

哇！好酷喔！

▼A: Do you want to **take a look at** my new computer?

你要不要看一看我的新電腦啊？

▼B: Wow. How much did you pay for it?

哇！你花了多少錢買的啊？

062

 MP3 Track 062

get in touch with someone
動 和某人聯絡

CH 1
CH 2
CH 3
CH 4
CH 5
CH 6

例句

Children should **get in touch with** their parents all the time when they go out for trips.
當孩子出外旅行時，應該隨時與他們的父母保持聯絡。

對話

▼A: I will **get in touch with** you by next Monday and tell you the result.
我下星期一以前會和你聯絡，並告訴你結果。

▼B: OK.
好。

▼A: I can't **get in touch with** Joe. Do you know where he is?
我聯絡不到喬，你知道他在哪裡嗎？

▼B: He has already gone back to New York.
他已經去紐約了。

MP3 Track 063

063

every now and then ｜副 偶爾

例句

Most of our customers only come to our shop **every now and then**.
我們大部份的客人都是偶爾來一下而已。

對話

▼A: Do you study English very often?
你有沒有時常讀英文？

▼B: To be honest, I only study **every now and then**.
說實話，我只是偶爾讀一下而已。

▼A: We go mountain climbing in the holidays **every now and then**.
我們在假日時偶爾會去爬山。

▼B: Sounds challenging.
聽起來好有挑戰性。

064 MP3 Track 064

feel sorry for | 動 覺得難過

CH
1

CH
2

CH
3

CH
4

CH
5

CH
6

 例句

I **feel sorry for** him after hearing his sad experiences.
我在聽到他的悲傷經驗之後為他感到難過。

對話

▼ A: Poor Mary has been heartbroken after her husband died.

可憐的瑪莉在丈夫過世之後，她一直都感到很心碎。

▼ B: Yes, I really **feel sorry for** her.

是啊，我真的為她感到難過。

▼ A: I heard that you didn't pass your exam.

我聽說你沒有通過考試。

▼ B: Yes, but you don't need to **feel sorry for** me. I deserved it.

是啊！但是你別替我難過，我活該的。

065

 MP3 Track 065

find out | 動 發現

例句

After the search, the police **found out** the truth.
在搜查之後,警察發現真相了。

對話

▼A: Why did you break up with your boyfriend?
你為什麼和你的男朋友分手啊?

▼B: I **found out** that he was dating another girl.
我發現他和另一個女生約會。

· ·

▼A: I **find out** a great restaurant last week.
我上禮拜發現了一家很棒的餐廳。

▼B: We can try it next time.
我們下次可以去吃吃看。

066

 MP3 Track 066

far away (from) | 副 很遠

CH 1

CH 2

CH 3

CH 4

CH 5

CH 6

例句

Since Jenny lives **far away from** the company, she always gets up early to work.
因為珍妮住在離公司很遠的地方，她總是很早起去工作。

對話

▼A: How much longer do we have to drive to get to the beach?
我們還要開多久的車才到海邊啊？

▼B: The beach is still **far away from** here.
海邊離這裡還很遠呢！

▼A: Do you want to go to the downtown with me?
你要不要和我一起去城裡？

▼B: No, it is too **far away from** here.
不要，它離這裡太遠了。

067

 MP3 Track 067

be (not) good at something
形 對什麼很（不）在行

例句

She **is** very **good at** studying, so she never fails exams.

她很擅長唸書，所以她從來沒有考不及格過。

對話

▼A: We still need one more player for our game.

我們還需要一個人來比賽。

▼B: We can ask David for help. He **is** very **good at** baseball.

我們可以找大衛，他對棒球很在行。

· ·

▼A: Do you want to play basketball with us?

你要不要和我們一起打籃球？

▼B: No, thanks. I **am not** very **good at** it.

不要了，我對它很不在行。

068

 MP3 Track 068

first of all | 副 首先

CH 1

CH 2

CH 3

CH 4

CH 5

CH 6

 例句

First of all, I would like to talk about the introduction of the book.
首先,我想要先談談這本書的簡介。

🔘 對話

▼ A: What is your plan for this weekend?
你這個週末有什麼計畫啊?

▼ B: Well, **first of all**, we will go to Taipei.
首先,我們會先去台北。

．．．．．．．．．．．．．．．．．．．．．．．．．．．．．．．．．．．

▼ A: Is there anything you want to say for getting this award?
你得這個獎有沒有什麼話要說?

▼ B: **First of all**, I would like to thank my parents and those who supported me.
首先,我要謝謝我的父母以及支持我的人。

069

 MP3 Track 069

bump into |動 撞見；不期而遇

例句

I **bumped into** Harry when I went shopping last Sunday.
我上禮拜日在購物的時候巧遇到哈利。

對話

▼A: Guess who I **bumped into** this afternoon?
你猜我今天下午撞見誰？

▼B: Janet! Or you won't be so excited.
珍娜！不然你不會那麼興奮。

••

▼A: What a surprise! I never thought I would **bump into** you here.
我真的好驚訝喔！我從沒想到會在這裡遇見你。

▼B: Yeah, me too.
對啊！我也是。

070

 MP3 Track 070

have/got to do something
動 得做……

CH **1**

CH **2**

CH **3**

CH **4**

CH **5**

CH **6**

 例句

She **has to** write down all ideas before she starts to work.
她在開始工作之前要先寫下所有想法。

對話

▼ A: Why didn't you sleep last night?
你昨天晚上怎麼沒睡覺？

▼ B: Because I **got to** finish my report.
因為我得把我的報告寫完。

....

▼ A: I **have to** get to the station by five.
我五點得到車站。

▼ B: Then you'd better hurry up.
那你最好快一點。

071 MP3 Track 071

put away something
動 把什麼東西收拾好

例句

Andy's mother asks him to **put away** his toy after playing with them.
安迪的媽媽要求他在玩完玩具後要收拾好。

對話

▼A: Can you **put away** your things? It is a mess here.
　你可不可以把你的東西收好？這裡亂七八糟的。

▼B: Hey! Most of them are yours.
　喂，大部分的東西都是你的耶！

....

▼A: Did you **put away** my things for me?
　你是不是幫我把我的東西收起來了？

▼B: No, maybe mom did.
　沒有，也許是媽媽收的。

072

 MP3 Track 072

shut off | 動 關起來

 例句

I **shut off** the windows in case the room gets cold in the midnight.
我關起窗戶以免房間在半夜時候變的很冷。

對話

▼ A: Can you **shut off** the air conditioner for me?
你可不可以幫我關冷氣？

▼ B: No, it's still very hot here.
不要，這裡還是很熱。

··

▼ A: Remember to **shut off** the heater before you go to bed.
記得你睡覺前要把暖氣關掉。

▼ B: I know.
我知道。

CH
1

CH
2

CH
3

CH
4

CH
5

CH
6

073

 MP3 Track 073

take someone / something out
動 帶某人／東西出去

例句

I plan to **take my child out** for buying some new clothes.
我預計要帶我的小孩出門去買一些新衣服。

對話

▼ A: Can you **take the trash out** for me?
你可不可以幫我把垃圾拿出去？

▼ B: Sure!
當然囉！

....

▼ A: Robert, can you **take Bill out** for taking a walk?
羅柏，你可以不可以帶比爾出去散步？

▼ B: OK.
好。

074

 MP3 Track 074

do without
動 不需要 / 沒有……也行

CH
1

CH
2

CH
3

CH
4

CH
5

CH
6

例句

John is still not here. I guess we will have to **do without** him.
約翰還沒有來，我想我們得靠自己囉！

對話

▼A: Jack is the guy who we can really count on.
傑克真的是我們可以相信的人。

▼B: Yeah, I don't know if we can **do without** him.
對啊！如果沒有他，我真的不知道該怎麼辦？

▼A: Now that you have started to work, you should **do without** our help.
既然你已經開始工作，你應該就不需要我們的幫助了吧。

▼B: That is right. I truly appreciate your help before.
沒錯，我真的很感激你們之前的幫助。

075

 MP3 Track 075

run into someone / something
動 偶然碰到某人／某事

例句

I never thought I would **run into** you here.
我從沒想過會在這個地方遇見你。

對話

▼ A: Guess who I **ran into** last night?
你猜我昨晚遇到誰？

▼ B: Your ex-girlfriend?
你的前任女朋友？

▼ A: I **ran into** a car accident yesterday.
我昨天偶然碰到一場車禍。

▼ B: It must be horrifying.
那一定很可怕！

076

MP3 Track 076

change one's mind ｜動 改變心意

CH 1
CH 2
CH 3
CH 4
CH 5
CH 6

例句

I hope that my teacher will **change her mind** about failing me.
我希望老師會改變她的心意，不要當我。

對話

▼A: I am too tired to go out today.
我今天太累了不想出去。

▼B: It's OK. But if you **change your mind**, just give me a call.
沒關係，但是如果你改變心意，你就打電話給我。

▼A: I am not sure if I will **change my mind** after talking with my mother.
我不是很確定我在和媽媽談過之後會不會改變主意。

▼B: There is no problem if you reject the suggestion.
如果你要拒絕這個提議也沒有任何問題。

077

 MP3 Track 077

fill out / in something
動 填寫……

例句

Patients need to **fill out** the form when seeing a doctor.
病人在看醫生時都需要填寫表格。

對話

▼A: This application would fail if you don't **fill in** correct information.
如果你的資料沒有填對，這份申請就可能會失敗。

▼B: Oh, I see.
我知道了。

....

▼A: How can I deposit my money?
我該如何存我的錢？

▼B: You will have to **fill out** this form first.
你得先填好這張單子。

078

 MP3 Track 078

upside down ｜副 倒反

🎧 例句

It will be very difficult to read the **upside down** texts.
上下顛倒的文字很難閱讀。

⚙ 對話

▼A: Why is the Chinese word "spring" written **upside down**?

為什麼那個「春」字是倒反的。

▼B: It means the coming of spring.

那表示「春天到了」。

....

▼A: Peter! Pay attention! You are holding your book **upside down**.

彼特，專心一點！你把你的書拿反了。

▼B: Sorry, Mrs. Lin.

林老師，對不起。

CH 1
CH 2
CH 3
CH 4
CH 5
CH 6

079

 MP3 Track 079

in time |副 趕上；及時

例句

I was just **in time** to see Mary sing her song in the concert.

我剛好趕上瑪麗在演唱會中唱她的歌。

對話

▼A: Am I late?

我遲到了嗎？

▼B: No, you are here just **in time**.

不，你剛剛好趕上。

....

▼A: I did not get to the train station **in time**.

我沒有及時趕到火車站。

▼B: So you missed the train?

所以你錯過那班火車了？

080

 MP3 Track 080

keep...in mind
動 放在心上 / 記得

CH 1

CH 2

CH 3

CH 4

CH 5

CH 6

例句

I will always **keep** your advice **in mind**.
我會一直把你的建議放在心上。

對話

▼A: Tell me when you are going to leave.
你要走的時候記得告訴我。

▼B: Sure, I will **keep** it **in mind**.
好的！我會記得。

▼A: Don't forget to buy some eggs when you go to the supermarket.
你去超市的時候，別忘記要買一些雞蛋。

▼B: I know. I'll **keep** it **in mind**.
我知道，我會記得的。

081

 MP3 Track 081

look forward to something

動 期待……

例句

Jenny is **looking forward to** getting married with Tom this summer.
珍妮很期待今年夏天可以和湯姆結婚。

對話

▼ A: We are all **looking forward to** the trip to Kenting.
我們都很期待墾丁之旅。

▼ B: When will it be?
你們什麼時候去啊？

▼ A: I am **looking forward to** going to America.
我很期待要去美國。

▼ B: Why? Are you going to study there?
為什麼？你要去那裡讀書嗎？

082 MP3 Track 082

go through something
動 穿過⋯⋯、經歷

🔘 例句

It would be dangerous if you just **go through** the crowds.
如果你強行穿越人群可能會很危險。

⚙ 對話

▼A: How can I get to the harbor?
我要怎麼去港口？

▼B: **Go through** the tunnel and turn right.
你穿過隧道後右轉。

⋯⋯⋯⋯⋯⋯⋯⋯⋯⋯⋯⋯⋯⋯⋯⋯⋯⋯⋯⋯⋯⋯⋯⋯

▼A: You can't imagine what I **went through** these years.
你絕對無法想像我這些年經歷了什麼事？

▼B: Maybe you can tell me about it.
也許你可以跟我說說啊！

CH 1
CH 2
CH 3
CH 4
CH 5
CH 6

083

 MP3 Track 083

Not at all. |副 不客氣；沒關係

例句

We can answer with "**Not at all.**" when someone thanks us.
當有人感謝我們的時候我們可以回答：「沒關係」。

對話

▼A: Thanks for helping my house move.
謝謝你幫我搬家。

▼B: **Not at all.**
不客氣。

....

▼A: I'm sorry to bother you so late.
對不起，這麼晚還來打擾你。

▼B: **Not at all.**
沒關係！

084

 MP3 Track 084

get in | 動 進去；被錄取

例句

She invited me to **get in** the house with warm smile.

她以溫暖的笑容邀請我進去家裡。

對話

▼A: Ted didn't **get in** National Taiwan University this year.

泰得今年沒有考進台大。

▼B: Maybe he will do better next year.

也許他明年會考好一點。

▼A: Joe **got in** the company.

喬被公司錄取了。

▼B: That's good.

那太好了。

085

 MP3 Track 085

SO-SO | 形 還好

例句

I was feeling **so-so** when they talk about the famous movie star with excitement.
當他們很興奮地討論那位有名的電影明星的時候，我沒什麼特別感覺。

對話

▼ A: How was the movie?
電影如何？

▼ B: Only **so-so**.
還好！

⋯⋯⋯⋯⋯⋯⋯⋯⋯⋯⋯⋯⋯⋯⋯⋯⋯⋯⋯

▼ A: The new restaurant down the street is really good.
街上開的新餐廳真的很棒！

▼ B: But I think it is only **so-so**.
可是我覺得還好耶！

086

MP3 Track 086

try on something
動 試（衣服等）

例句

The clothes shops usually have fitting rooms for customers to **try on** clothes.
服飾店通常會有試衣間讓客人試衣服。

對話

▼ A: Excuse me. Can I **try** this **on**?
　　對不起，我可以試穿這個嗎？

▼ B: Sure!
　　當然囉！

▼ A: After **trying on** more than ten skirts, she still can't decide on which one to buy.
　　她試穿了十幾件裙子之後，還是不知道要買哪一件。

▼ B: She is surely patient.
　　她還真有耐心。

CH 1

CH 2

CH 3

CH 4

CH 5

CH 6

087

 MP3 Track 087

cheer up | 動 開心一點 / 安慰

例句

When I feel bad I always have some ice-cream to **cheer myself up**.

當我覺得心情不好的時候，我總是會吃一些冰淇淋來讓自己打起精神。

對話

▼A: Hey! **Cheer up**! Things are not that bad.

喂！開心一點嘛！事情沒那麼糟的。

▼B: You don't understand.

你不懂啦！

▼A: Is Jenny still sad about the death of her cat?

珍妮還在因為她的貓死了而難過嗎？

▼B: Yeah. Let's get to her and try to **cheer her up**.

是啊，我們過去她那裡安慰她一下吧！

088

 MP3 Track 088

get to | 動 去、到

例句

The train is scheduled to **get to** Tainan at two in the afternoon.
這班列車預計下午兩點時會到達台南。

對話

▼ A: How will you **get to** Hong Kong?
你要怎麼去香港？

▼ B: By plane.
搭飛機啊！

· ·

▼ A: It will take two hours to **get to** Taipei.
還要兩小時才到台北。

▼ B: I doubt it. The traffic is really bad now.
我想不止。現在交通狀況很糟。

CH 1
CH 2
CH 3
CH 4
CH 5
CH 6

089

MP3 Track 089

hear of someone / something
動 聽說 / 聽過

🎯 例句

I have **heard of** this haunted story for several times.
我已經聽過這個鬼故事很多次了。

⚙ 對話

▼ A: Do you know who Johnny Lee is?
你知不知道李約翰是誰？

▼ B: I have **heard of** him, but I don't really know him.
我聽說過他，但我不知道他是誰。

▼ A: Have you **heard of** the guy who robbed the central bank?
你有沒有聽說過那個搶劫中央銀行的人？

▼ B: No. Who is that guy?
沒耶！那個人是誰？

090

 MP3 Track 090

make money | 動 賺錢

CH 1

CH 2

CH 3

CH 4

CH 5

CH 6

例句

Parents usually bear the pressure of **making money** for their children.

父母通常背負為了小孩而賺錢的壓力。

對話

▼ A: How is your business?

你的生意怎麼樣？

▼ B: It's hard to **make money** nowadays.

現在要賺錢真難！

· ·

▼ A: Surely he is working hard these days.

他現在還真的是很努力的工作呢？

▼ B: Yeah. He is trying to **make money** to buy a new car.

他想要賺錢買一部新車。

091

 MP3 Track 091

take turns | 動 輪流

🔍 例句

Hey! Stay in line. We should all **take turns**.
喂！排隊！我們都應該要輪流。

⚙ 對話

▼ A: With only one bathroom and six people, it's best to **take turns**.
我們有六個人，可是只有一間廁所，所以我們最好要輪流使用。

▼ B: OK. Who's first?
好的！誰先？

▼ A: Let's **take turns** with throwing the trash.
讓我們輪流丟垃圾吧。

▼ B: It's a great idea.
這是個好主意。

092

 MP3 Track 092

no matter what (happens)
副 不管怎麼（發生什麼事）

CH 1

CH 2

CH 3

CH 4

CH 5

CH 6

例句

I won't forgive him, **no matter what** he says.
不管他說什麼，我都不會原諒他的。

對話

▼A: I think you'd better think it over before doing it.
我想你在做之前最好想清楚。

▼B: I know. But I will still do it **no matter what happens**.
我知道，不過不管發生什麼事，我還是會做的。

· ·

▼A: **No matter what happens**, do remember that I will be here for you.
不管發生什麼事，記得我永遠在這裡陪著你。

▼B: It's so sweet of you.
你真是貼心。

093

 MP3 Track 093

get well | 動 康復

例句

The doctor suggested me to sleep more so that I can **get well** much quickly.
醫生建議我要多睡覺，這樣我就能快一點康復。

對話

▼A: How long will it take for you to **get well**?
你要多久才會康復啊？

▼B: I guess about a week.
我猜大約一個禮拜吧！

▼A: I heard that Chris got a cold.
我聽說克力斯感冒了。

▼B: Yeah. Don't worry. He will **get well** in a few days.
是啊，別擔心，他幾天後就會康復了。

094 MP3 Track 094

make sure (that) ··· | 動 確定······

CH 1

CH 2

CH 3

CH 4

CH 5

CH 6

例句

I will call you next Monday to **make sure** you won't be late.

我會在下禮拜一的時候打電話給你，確認你不會遲到。

對話

▼ A: You should **make sure** there are enough seats for everyone.

你要確定每一個人都有座位。

▼ B: Don't worry. I have already double-checked.

別擔心，我已經確認過了。

▼ A: **Make sure that** the doors are locked.

你要確定門都鎖了喔！

▼ B: OK.

好的。

095

 MP3 Track 095

had better do something

動 最好做……

例句

You **had better** give your family a call, or they will be worried.

你最好打電話給你的家人，不然他們會擔心的。

對話

▼A: You **had better** do what your mother told you.

你最好去做你媽媽叫你做的事。

▼B: I will.

我會的。

▼A: Your father keeps calling to ask when you will get home.

你爸爸一直打電話來問說你什麼時候會回家。

▼B: I **had better** go home right away.

我最好現在馬上回家。

096

 MP3 Track 096

be around ｜副 在附近；來到

例句

When Jason phoned me, I **was around** the city center.
當傑森打電話給我的時候，我剛好在市中心附近。

對話

▼A: I will meet you at the station about ten tomorrow.
我明天大約十點跟你約在車站。

▼B: OK. I will **be around** the station at ten.
好啊！我那時候也會在車站附近。

▼A: I always feel relaxed when I **am around** Jeff.
當我在傑夫身邊時，我總覺得很放鬆。

▼B: Yeah. He is an easygoing person.
對啊！他是一個很隨和的人。

097

 MP3 Track 097

call off something | 動 取消

例句

We should **call off** the reservation if we decided not to eat dinner at the restaurant.
如果我們決定不要去餐廳吃晚餐，我們應該要打電話取消預約。

對話

▼ A: The party was **called off** because of the rain.
因為下雨，所以派對取消了。

▼ B: That's too bad.
真糟糕。

....

▼ A: The boss is still not here.
老闆還沒來！

▼ B: I think we will have to **call off** the meeting.
我想我們只好取消會議囉！

098 MP3 Track 098

get on someone's nerves
動 惹⋯⋯心神不寧；讓人厭煩

CH 1

CH 2

CH 3

CH 4

CH 5

CH 6

例句

The dog's barks **get on my nerves** all the time.
那隻狗的吠叫聲總是讓我心神不寧。

對話

▼ A: That noise is really **getting on my nerves**.
那噪音快把我弄瘋了！

▼ B: Yeah. They are building a new building.
對啊！他們在建造新大樓。

▼ A: Can you shut up? You are really **getting on my nerves**.
你可不可以閉嘴？我快受不了你了！

▼ B: Hey! I was just trying to help.
喂！我只是想幫忙耶！

099

 MP3 Track 099

be sick / tired of someone/ something |形| 對……厭惡、厭倦

📀 例句

I **am sick of** smoke smell, so I won't smoke for my whole life.
我不喜歡煙味，所以我這輩子都不會抽菸。

⚙️ 對話

▼ A: Tom is always rude to everyone.
湯姆對大家都很沒禮貌。

▼ B: We **are** all **sick of** his attitude.
我們都受夠他的態度了。

．．．．．．．．．．．．．．．．．．．．．．．．．．．．．．．

▼ A: I **am tired of** your always being late.
我已經受夠了你常常遲到。

▼ B: Sorry. I won't do it again next time.
對不起！下一次不會再發生了。

100

 MP3 Track 100

put up with someone / something | 動 忍受某人、某事

例句

Jenny couldn't **put up with** her messy roommate anymore, so she moved out.
珍妮再也無法忍受她那個髒亂的室友，所以她搬出來了。

對話

▼A: I just can't **put up with** my boss anymore.
我已經無法再忍受我的老闆了。

▼B: Then why don't you quit your job?
那你為什麼不辭掉工作？

....

▼A: Eddie is late again.
愛迪又遲到了。

▼B: I don't know why we have to **put up with** him every time.
我不知道我們為什麼每一次都要忍受他。

CH 1
CH 2
CH 3
CH 4
CH 5
CH 6

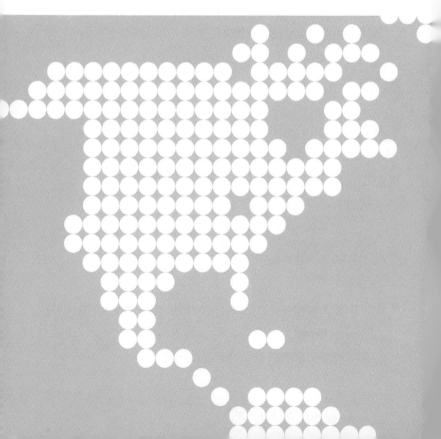

Chapter 3
片語 101 ～ 150

使用頻率
80%

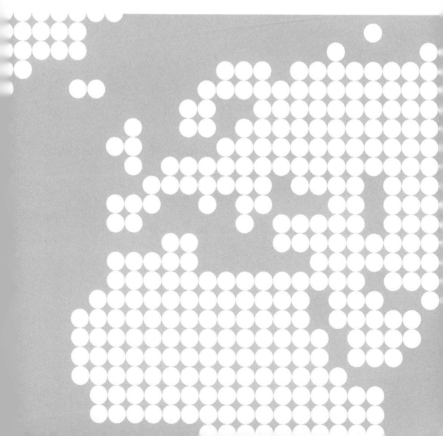

使用頻率
70%

Chapter 4
片語 151 ～ 200

101

 MP3 Track 101

be better off (doing) | 形 比較好

例句

He would **be better off** working in a more comfortable environment.
他最好去一個比較舒適的環境工作。

對話

▼A: We are planning to go to Kenting by train.
我們計畫要搭火車去墾丁。

▼B: I think you would **be better off** taking the plane.
我覺得你們搭飛機會比較好。

....

▼A: Are you glad that you broke up with him?
你跟他分手後你開心嗎？

▼B: Yes, I am **better off** now.
是的，我現在過得比較好。

102

 MP3 Track 102

turn down someone / something │動 回絕 / 拒絕

CH 1

CH 2

CH 3

CH 4

CH 5

CH 6

例句

It is rude to **turn down** someone's request in public.

在大庭廣眾之下拒絕某人的要求是很沒禮貌的。

對話

▼A: Did you get the job at the bank?

你有沒有得到銀行的工作？

▼B: No, they **turned me down**.

沒有，他們回絕我了！

. . . .

▼A: She **turned down** Tom's proposal.

她拒絕了湯姆的求婚。

▼B: So she has decided to leave him?

所以，她已經決定要離開他了嗎？

103

 MP3 Track 103

turn…into something / turn into something
動 把……譯成～ / 變成……

例句

This glass of water will **turn into** ice after an hour.
這杯水過了一個小時後將會變成冰。

對話

▼A: Could you help me **turn** this English article **into** Chinese one?
你能幫我把這篇英文文章翻譯成中文嗎？

▼B: I'm not sure if I can do it well, but I will try.
我不確定我能不能做得好，但我會試試看。

▼A: I want to **turn into** a confident person.
我想要變成一個有自信的人。

▼B: You should figure out your advantages first.
你應該要先找到自己的優點。

104

 MP3 Track 104

bring back something
動 拿回…… / 取回……

例句

I have to go to the lost and found to **bring back** my lost bag.
我必須要到失物招領處拿回我弄丟的背包。

對話

▼ A: Can you **bring back** some fruit?
你可不可以帶回來一些水果？

▼ B: I am not going to the supermarket.
我不是要去超市。

▼ A: Japan is a very clean and beautiful country.
日本是一個很乾淨、漂亮的國家。

▼ B: Well, did you **bring back** any souvenir for me?
那麼你有沒有帶什麼紀念品給我啊？

105 MP3 Track 105

try / do one's best | 動 盡全力

例句

I will **try my best** to work on the project.
我會盡力去完成這個提案。

對話

▼ A: Your grades are really bad!
　　 你的成績真的很糟糕。

▼ B: Stop blaming him. He has already **done his best**.
　　 別再責怪他了，他已經盡全力了。

▼ A: Are you going to try again next year?
　　 你明年要再試試看嗎？

▼ B: No, I give up. I have already **done my best.**
　　 不，我放棄了！我已經盡力了！

106

 MP3 Track 106

fall off

動 從……上面掉下來；摔下

CH 1

CH 2

CH 3

CH 4

CH 5

CH 6

例句

Due to the earthquake, all books in the bookshelves **fell off**.

因為地震的關係，所有在書架上的書都掉下來了。

對話

▼ A: Did you know that there was a large rock **falling off** the road bridge?

你知道有塊大岩石從這座路橋上掉下來這件事嗎？

▼ B: I know it. A lot of people got hurt.

我知道啊！很多人都受傷了。

▼ A: What happened to your leg?

你的腳怎麼了？

▼ B: I **fell off** the stairs.

我從樓梯上摔了下來。

107

 MP3 Track 107

get away (from)
動 遠離／離開……

例句

After going through the horrible accident, all I want to do is **get away from** the place.
在經歷過這麼可怕的意外之後，我只想離開這個地方。

對話

▼A: What is the problem between your parents and you?

你父母和你之間有什麼問題啊？

▼B: I don't know. I just want to **get away from** them.

我不知道。我就是想離開他們。

....

▼A: What took you so long?

你怎麼那麼久啊？

▼B: It took me a while to **get away from** the crowds.

我花了一點時間從人群中脫身。

108

 MP3 Track 108

go away | 動 離開；走開

CH 1
CH 2
CH 3
CH 4
CH 5
CH 6

例句

I feel really disappointed when I know she **goes away**.
當我知道她離開的時候我真的很失落。

對話

▼ A: Can we **go away** together for a rest?
我們可以一起出去散心嗎？

▼ B: Of course. Let's go.
當然，走吧！

▼ A: **Go away**! I don't want to see you.
走開！我不想要看到你。

▼ B: It really hurts when you say so.
你這麼說很傷人。

109 MP3 Track 109

look for someone / look up something | 動 查…… / 找……

例句

Looking up a word in English dictionary is the fastest way to learn vocabulary.
查英文字典是學單字最快的方式。

對話

▼A: Do you know how to spell this word?
你知不知道這個字怎麼拼？

▼B: Why don't you **look it up** in the dictionary?
你為什麼不查查字典？

▼A: Who are you **looking for**?
請問找誰？

▼B: I am **looking for** Jane.
我找珍。

110

 MP3 Track 110

take a picture (of)
動 幫……照相

CH
1

CH
2

CH
3

CH
4

CH
5

CH
6

例句

Tourists like to **take a picture of** Taipei 101 when they visit Taipei.
觀光客來台北觀光的時候都喜歡拍攝台北 101。

對話

▼ A: Wow! Look how high that building is!
哇！你看看那棟樓多高啊！

▼ B: Wait. Let me **take a picture of** it.
等一下，讓我拍張照片。

▼ A: Can you **take a picture** for us?
你可不可以幫我們拍一張照片。

▼ B: Sure.
當然！

111

 MP3 Track 111

take away someone / something
動 帶走某人；拿走……東西

例句

The father **takes away** (his daughter) without letting her teacher know in advance.
那位父親沒有事先告知老師就把他自己的女兒帶走了。

對話

▼ A: Did you see who **took away** my books?
你有沒有看到誰拿走我的書？

▼ B: I think Debby did.
好像是黛比。

▼ A: You had better **take the knife away** from the little girl.
你最好把小女孩手上的刀子拿走。

▼ B: Yeah, It's very dangerous.
是啊！那很危險！

112

 MP3 Track 112

speak to someone (about)
動 跟⋯⋯說 / 談

CH 1

CH 2

CH 3

CH 4

CH 5

CH 6

🔍 例句

When I **speak to** strangers, I feel really nervous.
當我在跟陌生人說話的時候，我會覺得很緊張。

⚙️ 對話

▼ A: Did you **speak to** your parents about this?
你有沒有跟你父母談過這件事？

▼ B: Yes, but they said that I should make the decision myself.
有，但是他們說我得自己決定。

. . . .

▼ A: May I know whom I am **speaking to**?
（電話中）請問您是哪位？

▼ B: This is John speaking.
我是約翰。

113

 MP3 Track 113

would rather (do) | 副 寧願

例句

I **would rather** be poor than work on a job I don't like.
我寧願貧窮也不要做我不喜歡做的事。

對話

▼ A: Do you want to take the bus or taxi?
你想要坐公車還是計程車？

▼ B: It's too hot. I **would rather** take the taxi.
天氣太熱了，我寧願坐計程車！

▼ A: I **would rather** cook at home than eat out.
我寧願自己煮飯也不要外食。

▼ B: It is healthy.
那很健康。

114

 MP3 Track 114

do someone good
動 對……有好處

例句

Reading more books will **do you good**.
多讀點書對你是有好處的。

對話

▼A: You need to exercise. It will **do you good**.
你需要運動，這樣會對你好的。

▼B: Give me a break.
饒了我吧。

▼A: Why don't you help him with his homework?
你為什麼不幫他做功課？

▼B: It won't **do him any good**. He won't learn anything.
這樣對他不好，他學不到東西的。

CH 1
CH 2
CH 3
CH 4
CH 5
CH 6

115

 MP3 Track 115

go back (to) |動| 回到……

例句

Some adults want to **go back** to their childhood.
有些大人會想要回到他們的孩提時光。

對話

▼ A: How long will it take to **go back** from here?
從這裡回去要多久啊？

▼ B: About three hours.
大約要三小時吧！

▼ A: I will **go back** home this weekend.
我這個週末要回家。

▼ B: Send my regards to your mother.
幫我問候你媽媽。

128

116

 MP3 Track 116

keep in touch (with)
動 和……保持聯絡

CH
1

CH
2

CH
3

CH
4

CH
5

CH
6

例句

Although I have left my hometown for ten years, I still **keep in touch** with my friends there.

即使我已經離開家鄉十年之久，我仍然和那邊的朋友保持聯繫。

對話

▼ A: Remember to **keep in touch** with me after you get there.

你到了那裡之後，別忘了和我保持聯絡。

▼ B: I sure will.

我一定會的。

▼ A: Bye! Remember to **keep in touch**.

再見！記得要保持聯絡喔！

▼ B: OK. Bye-bye.

好的，再見！

117

 MP3 Track 117

back someone up
動 支援／後援

例句

My parents always **back me up** when I make difficult decisions.
我的父母總是在我做艱難決定時在背後支持我。

對話

▼A: Remember to **back me up** when the teacher calls me.
當老師叫到我的時候，記得要罩我喔！

▼B: You can count on me.
你可以相信我的。

▼A: Go ahead! Take a chance. I will **back you up**.
去吧！試試看！我會支援你的。

▼B: Thanks. I am going to try it now.
謝謝。我現在就去試試看。

118

 MP3 Track 118

all day /week/ month /year long
副 整天 / 禮拜 / 月 / 年

CH 1

CH 2

CH 3

CH 4

CH 5

CH 6

例句

The wife has been waiting for her husband to come back **all year long**.
那位妻子已經花了一整年等待她的丈夫歸來了。

對話

▼ A: I have been studying **all day long** and I still can't figure out this problem.
我已經研究了一整天了，還是無法把這個問題解決。

▼ B: Take it easy! It's not that hard.
放輕鬆一點，沒那麼難吧！

▼ A: The weather is so hot. I don't even want to leave my house.
天氣熱到我不想踏出房子一步。

▼ B: Yeah, it's been like this **all week long**.
對啊！一整個禮拜都是這樣。

119 MP3 Track 119

by chance |動 湊巧／偶然

例句

Mr. Wu meets his old friend **by chance** at the city center.
吳先生在市中心偶然遇見他的老朋友。

對話

▼ A: I met Jacky Chen **by chance** at airport yesterday.
我昨天湊巧在機場碰到成龍。

▼ B: Wow. You are so lucky.
哇！你好幸運哦。

....

▼ A: Where did you buy this necklace?
你在哪裡買到這串項鍊的？

▼ B: I found it **by chance** at the night market.
我是偶然在夜市裡看到的。

120

 MP3 Track 120

be/feel left out
動 被 / 覺得被忽略了

CH 1
CH 2
CH 3
CH 4
CH 5
CH 6

例句

When a child feels **left out**, he would try to cry or play a practical joke to get the parent's attention.
當小孩覺得被忽略時，他會試著用大哭或惡作劇去吸引父母的注意力。

She often feels **left out** in the meeting.
她常常感覺在會議中被忽略。

對話

▼ A: Cheer up. You are not **left out**.
開心一點吧！你沒有被忽略啊！

▼ B: Yeah. Everyone is here with you.
是啊！大家都和你在一起。

121

 MP3 Track 121

mess up something
動 把……搞亂

🎙 例句

The delay of the plane **messed up** all their plans.
飛機的誤點把他們所有的計畫搞亂了。

⚙ 對話

▼A: Your cat got into the house and **messed up** everything.
你的貓跑進房裡把東西弄得亂七八糟的。

▼B: I'm terribly sorry.
我非常抱歉。

· ·

▼A: Tom, you shouldn't **mess up** everything in the room without cleaning it.
湯姆，你不該在把房間弄的一團亂之後還不整理。

▼B: Sorry, Mom. I'll do it later.
抱歉媽媽，我等等就會做。

122

 MP3 Track 122

put on weight | 動 增肥／變胖了

CH 1
CH 2
CH 3
CH 4
CH 5
CH 6

例句

Dr. Wang suggests Susan **putting on some weight** since she is too thin.
因為蘇珊太瘦了，王醫生建議她增肥。

對話

▼ A: Nick, is that you? I could barely recognize you.
尼可？是你嗎？我幾乎都認不出你了。

▼ B: I have **put on weight** since the last time you saw me.
自從上一次見到我之後，我變胖了。

▼ A: Is that all you are going to eat for dinner?
你晚餐就吃這樣啊？

▼ B: Yeah, because I **put on some weight** lately, I need to go on a diet.
是啊，因為我最近體重增加了不少，所以我該減肥囉。

123

 MP3 Track 123

make up one's mind
動 決定；下定決心

例句

I **make up my mind** to study hard for entering a great university.

為了要進一間好的大學，我下定決心要好好念書。

對話

▼A: Hurry up and **make up your mind**. Everyone is waiting for you.

快一點決定啦！大家都在等你。

▼B: I think I had better ask my mom first.

我想我先問問我媽媽好了。

▼A: Which one do you want?

你要哪一個？

▼B: I just can't **make up my mind**.

我做不了決定。

124

 MP3 Track 124

take one's time | 動 慢慢來

例句

We can **take our time** roaming here because we don't have other plans.
因為我們沒有其他計畫，所以我們可以在這邊慢慢閒逛。

對話

▼ A: I will be ready in a moment.
我馬上就好了。

▼ B: **Take your time**. There is no need to rush.
慢慢來，不用趕。

▼ A: You can **take your time** over shopping. I will be waiting for you at that coffee shop.
你慢慢的去逛街吧。我會在咖啡店裡等你。

▼ B: Fine.
好的。

CH 1
CH 2
CH 3
CH 4
CH 5
CH 6

125

 MP3 Track 125

catch a bus /train
動 趕搭公車 / 火車

例句

It is very tiring for me to get up early for **catching up** a bus to school.
每天要早起趕著坐到學校的公車讓我覺得很累。

對話

▼A: How did you go to school today?
你今天怎麼去上學？

▼B: I **caught a bus**.
最快的方法就是趕搭公車。

▼A: Can you take me to the station in fifteen minutes? I need to **catch a train**.
你可不可以在十五分鐘之內帶我去車站？我需要趕搭火車。

▼B: I will try my best.
我盡力。

126

 MP3 Track 126

come to | 動 到達

例句

The server greeted with us with warm smile when we **come to** the hotel.
當我們到達旅館的時候，服務生以溫暖的笑容迎接我們。

對話

▼A: We have finally **come to** the last part of this project.
我們終於做到這計畫的最後了。

▼B: Yeah. It's worthy of all the hard work.
對啊！一切辛苦都值得的。

▼A: Do you want to **come to** my house this weekend?
你這個週末要不要來我家？

▼B: Who else is going?
還有誰要去？

127

 MP3 Track 127

for sure | 副 確定 / 當然

例句

It is **for sure** that he is the best father in the world.
他當然是全世界最好的父親。

對話

▼ A: How did the fire happen?
火災是怎麼發生的？

▼ B: I don't know **for sure**.
我不確定。

▼ A: Are you sure this is the way?
你確定是這個方向嗎？

▼ B: This is the way **for sure**.
一定是這條路。

128

 MP3 Track 128

have something to do with someone / something
動 和……有關

CH **1**

CH **2**

CH **3**

CH **4**

CH **5**

CH **6**

例句

Her outstanding performance **has something to do with** her working hard in practice.
她出色的表現和她努力練習很有關係。

對話

▼ A: Does this knife **have something to do with** this case?
這把刀和這個案子有沒有相關連？

▼ B: It might be the one used by the murderer.
也許就是歹徒用的那一把？

．．．．．．．．．．．．．．．．．．．．．．．．．．．．．．．．．．．．．．．

▼ A: What does Jeff **have to do with** our work?
傑夫和我們的工作有什麼相關？

▼ B: Nothing really. Let's forget about him.
沒有相關，我們別管他。

129

 MP3 Track 129

make fun of someone
動 嘲弄取笑某人

例句

The teacher told me not to **make fun of** others.
老師告訴我不要嘲笑別人。

對話

▼A: Why doesn't Betty want to go to school anymore?
貝蒂為什麼不想再上學了？

▼B: Because all the other kids **make fun of** her.
因為學校的同學都笑她。

▼A: It was very rude to **make fun of** her in front of everyone.
你在大家面前嘲笑她真的很無禮。

▼B: Sorry. It won't happen again.
對不起！不會再發生。

130

 MP3 Track 130

be on / off duty | 形 值班 / 不值班

CH 1

CH 2

CH 3

CH 4

CH 5

CH 6

🔊 例句

They go hiking when they **are off duty**.
他們不上班的時候就會去健行。

⚙ 對話

▼ A: Will you **be on duty** tomorrow?
你明天會去值班嗎？

▼ B: No, I won't go to work for a week. I will go on a vacation.
不會，我一個禮拜不會去上班，我要去度假。

··

▼ A: I would like to speak to Mr. Wang, please.
請問王先生在嗎？

▼ B: I am sorry. Mr. Wang **is off duty** today.
對不起，王先生今天沒上班。

131

 MP3 Track 131

most of all | 副 最主要；特別

例句

There are many reasons why I like living in the countryside. **Most of all**, it's quiet.
我喜歡住在鄉下是有很多原因的，最主要是因為那邊很安靜。

對話

▼ A: Where do you want to go **most of all**?
你有特別想要去哪裡？

▼ B: I don't know. Where would you recommend?
我不知道！你的建議呢？

▼ A: Why don't you just take the plane? It's much faster.
你為什麼不搭飛機？那快多了。

▼ B: **Most of all**, I don't have enough money.
最主要是因為我沒有足夠的錢。

132

 MP3 Track 132

play a joke/ trick on someone
動 對某人開玩笑。

例句

The naughty boy likes **playing a joke on** his little sister.
那個調皮的小男孩很喜歡捉弄他的妹妹。

對話

▼ A: Why is little Helen crying?
小海倫怎麼哭了？

▼ B: Her brother **played a joke on** her.
因為她哥哥對她開了一個玩笑。

⋯⋯⋯⋯⋯⋯⋯⋯⋯⋯⋯⋯⋯⋯⋯⋯⋯⋯⋯⋯⋯⋯⋯⋯⋯⋯⋯

▼ A: I **played a trick on** Anita by scaring her in the dark.
我捉弄了愛妮塔，在黑暗中嚇她。

▼ B: You have scared her.
你一定把她嚇壞了。

CH 1
CH 2
CH 3
CH 4
CH 5
CH 6

133

 MP3 Track 133

again and again | 副 一次又一次

例句

Practice **again and again**, and I believe you will make it.

多練習幾次，我相信你可以做到。

對話

▼A: Kelly has got a speeding ticket.

凱莉收到一張超速單。

▼B: I have told her **again and again** not to drive too fast.

我一次又一次的告訴她不要開太快。

▼A: I have tried **again and again** begging her for forgiveness, but she doesn't forgive me.

我一次又一次的請求她原諒我，但她都不原諒我。

▼B: Maybe you should just leave her alone.

也許你先讓她冷靜一下。

134 MP3 Track 134

take a chance / take the risk
動 碰碰運氣 / 冒個險

例句

If I am brave enough to **take the risk**, I will quit the current job.

如果我有足夠的勇氣冒險的話，我會離開現在的工作。

對話

▼ A: Do you think it is wise to change your job now?

你覺得現在換工作是明智的選擇嗎？

▼ B: I would rather **take the risk**.

我寧願冒個險。

▼ A: Why don't you **take a chance** and give it a try?

你為什麼不碰碰運氣試試看？

▼ B: I just don't have the guts to do it.

我沒有勇氣。

135

 MP3 Track 135

make sense (out of)
動 明白／了解

例句

What Susan suggested in her proposal doesn't **make sense**, so she had to rewrite it.
蘇珊在提案中建議的想法並不合理，所以她必須重寫一次。

對話

▼ A: The thing that you are saying doesn't **make sense** to me.
我不明白你說的話。

▼ B: I can explain it in details again.
我可以再解釋一次細節給你聽。

▼ A: I couldn't **make sense** out of the words he wrote.
我看不懂他寫的東西。

▼ B: Yeah. What a messy handwriting.
對啊！這字跡真潦草。

136

 MP3 Track 136

lose one's temper | 動 發脾氣

例句

It is very hard to communicate with someone who **loses his temper**.
跟一個人發脾氣的人溝通會非常困難。

對話

▼ A: He is a totally different person when he **loses his temper**.
當他發脾氣的時候,根本是另外一個人。

▼ B: It's hard to imagine. I have never seen him angry.
很難想像耶。我從來沒看過他生氣。

▼ A: I am sorry that I **lost my temper** yesterday.
對不起,我昨天對你發脾氣。

▼ B: It was nothing. Just forget it.
沒關係,忘記它吧!

CH 1
CH 2
CH 3
CH 4
CH 5
CH 6

137

 MP3 Track 137

(be) out of order | 形 壞了／亂了

例句

The toilet in the tourists spot is **out of order**, so the visitors keep complaining about it.

在觀光景點裡面的廁所壞掉了，所以觀光客們不停抱怨。

對話

▼A: The pages of this book are all **out of order**. Did you do that?

書的頁碼都亂了。是你弄的嗎？

▼B: I didn't go into your room.

我沒有進去你的房間。

▼A: A cup of coffee, please.

一杯咖啡，謝謝。

▼B: Sorry, our coffee machine is **out of order**.

對不起，我們的咖啡機壞了。

138

 MP3 Track 138

shake hands (with)
動 和……握手

例句

U.S. president **shook hands with** Japanese prime minister.
美國總統和日本總統握了手。

對話

▼ A: We decided to **shake hands** to put an end to our fight.
我們決定握手言和。

▼ B: That's good.
這樣很好。

....

▼ A: They **shook hands** after the meeting.
他們在會議之後握手。

▼ B: Well, did they reach an agreement?
那他們有沒有達成協議？

139

 MP3 Track 139

go/be on a diet | 動 減肥

例句

It is unhealthy to **go on a diet** without a doctor's direction.
在沒有醫生指示的狀況下，減肥是很不健康的。

對話

▼A: There is still a lot of cake left.
　　還有剩下很多蛋糕耶。

▼B: Please. I am still **on a diet**.
　　拜託！我還在減肥耶。

▼A: Look at you. You need to **go on a diet**.
　　看看你！你需要減肥了啦。

▼B: I know.
　　我知道。

140

 MP3 Track 140

in front (of) | 副 在……之前

 例句

The car stopped **in front of** our house, but no one knows whose it is.
那台車停在我們家門口前，但是沒有人知道那是誰的。

對話

▼ A: She just passed out **in front of** me.
她剛剛在我的面前昏倒了。

▼ B: What was wrong with her?
她怎麼了。

....

▼ A: I will meet you **in front of** the station.
我在車站前面和你見面。

▼ B: Fine. Is four o'clock OK?
好，四點怎麼樣？

141 MP3 Track 141

pick on someone / something
副 挑剔

例句

Don't always **pick on** everything I do.
不要總是挑剔我所做的每一件事情。

對話

▼ A: If Helen hadn't been so stupid, we'd have finished the job already.
如果海倫沒那麼笨的話，我們早已經把工作做完了。

▼ B: Don't **pick on** her. It wasn't all her fault.
別再挑剔她了，那不全是她的錯。

....

▼ A: Stop **picking on** me. I have tried my best.
不要再挑剔我了，我已經盡全力了。

▼ B: I was just giving you some useful advice.
我只是想給你一些實用的建議。

142

 MP3 Track 142

at first ｜副 剛開始；起先

🔊 例句

At first I thought she was a mean person, but then I found out that she was just afraid of talking with strangers.

一開始的時候我以為她是個很兇的人，但我後來才發現她只是很怕跟陌生人說話。

⚙ 對話

▼A: How is your new job?

你的新工作如何？

▼B: It's pretty tiring **at first**, but now I am used to it.

剛開始很累，但我現在習慣了。

▼A: Is Tim always such an outgoing person?

提姆一直是一個那麼外向的人嗎？

▼B: No, he was pretty shy **at first**.

沒有，他一開始也很害羞。

143

 MP3 Track 143

break one's heart
動 傷某人的心

例句

The child's rude attitude **broke his mother's heart**.

那個孩子不禮貌的態度傷了他母親的心。

對話

▼ A: You **broke her heart** by saying that.

你那樣說傷了她的心。

▼ B: I didn't mean it.

我不是有意的。

▼ A: She **broke my heart** when she said that she doesn't love me anymore.

當她說她不再愛我時，傷了我的心。

▼ B: I'm sorry to hear about that.

我很遺憾聽到這件事。

144

 MP3 Track 144

break up with someone
動 和某人斷絕關係

CH 1

CH 2

CH 3

CH 4

CH 5

CH 6

例句

Breaking up with a dear friend is a truly sad thing.
和一個親愛的朋友斷絕關係是一件很悲傷的事情。

對話

▼ A: I have decided to **break up with** you.
我決定要和你斷絕關係。

▼ B: Please! Give me a second chance.
拜託！再給我一次機會！

▼ A: Wesley **broke up with** her girlfriend.
衛斯理和他的女朋友斷絕關係。

▼ B: Really? When did it happen?
真的？什麼時候發生的事？

145 MP3 Track 145

break down | 動 拋錨；毀壞

例句

The internet **broke down**, and everyone was mad at the situation.
網路壞掉了，而所有人都對這個狀況感到生氣。

對話

▼A: The car **broke down** again.
　　汽車又拋錨了！

▼B: But I just had it repaired yesterday.
　　但是我的車子昨天才送去修理的！

▼A: The air conditioner **broke down**. I am so hot.
　　冷氣壞了，我好熱。

▼B: Turn on the fan.
　　開電風扇吧！

146

 MP3 Track 146

go by |動 經過

例句

When I **went by** the junior high school I used to study at, I thought of the old memories.
經過以前唸過的國中時，我想起了過去的回憶。

對話

▼A: Do you know where Allen is?
你知道艾倫在哪裡？

▼B: He just **went by** me a few minutes ago.
他剛剛才從我身邊經過！

▼A: There is a fifty percent discount on everything at that department store.
現在那間百貨公司全館商品打五折。

▼B: What are you waiting for? We can't let this opportunity **go by**.
那你還在等什麼？我們不能讓這個機會溜走啊！

147

 MP3 Track 147

keep on (doing) |動 持續（做）

🎵 例句

If you **keep on** playing the piano, you would develop good taste in music.
如果你持續彈鋼琴，就有可能培養好的音樂品味。

⚙️ 對話

▼ A: Your grades were excellent last semester. **Keep on** the good work.
你上學期的成績很棒，繼續加油喔！

▼ B: Thanks, Mrs. Lee.
謝謝，李老師。

▼ A: How do we **keep on** walking?
我們為什麼一直走啊？

▼ B: We are almost there.
快到了啦！

148

 MP3 Track 148

make up │動 編造／合好

CH 1

CH 2

CH **3**

CH 4

CH 5

CH 6

例句

Jill wrote an apology letter to me for **making up** with me.

為了要跟我和好，吉爾寫了一封道歉信給我。

對話

▼A: He was not telling the truth. He **made up** all this.

他沒有說實話，這些都是他編造的。

▼B: Why don't you give him a chance to explain?

你為什麼不給他一個機會解釋呢？

▼A: I am sorry for what I did yesterday. Can we **make up**?

我為我昨天說的話感到抱歉。我們可以合好嗎？

▼B: It's all right.

沒關係。

149

 MP3 Track 149

make oneself at home

動 使……自在／舒暢
（當做在自己的家）

例句

I **make myself at home** every time when I visit Jason's house.
每次我到傑森家的時候，都把那邊當作自己的家。

對話

▼A: Wow! Your new house is beautiful.
哇！你家真漂亮！

▼B: Thank you. There are drinks in the refrigerator. **Make yourself at home**.
謝謝，冰箱裡有一些喝的。當作在自己的家吧！

....

▼A: Have a seat. **Make yourself at home**.
坐啊！自在一點囉。

▼B: Thanks, but can you tell me where the bathroom is?
謝謝，你可不可以告訴我廁所在哪裡？

150

 MP3 Track 150

run away (from) | 動 逃／逃跑

例句

The smart girl **ran away** when the kidnapper took a nap.
那個聰明的女孩趁綁架犯打瞌睡的時候逃跑了。

對話

▼A: Sometimes I just want to **run away** from all this.
有時候我真想從這一切逃走。

▼B: But you still have to face the reality.
但是你還是得面對現實。

▼A: Why is Mary so sad?
瑪麗為什麼那麼傷心？

▼B: Her cat has **run away** for a week.
她的貓跑走了一個禮拜。

151

 MP3 Track 151

turn (something) around
動 轉過身來；回頭

例句

When my mom called from loudly behind me, I **turned around** to ask what happened.
當我媽媽在我身後大叫我的名字時，我轉頭問她發生什麼事情。

對話

▼A: Hey! **Turn around**. Let me see what you have behind you.
喂！轉過來，我看看你背後有什麼？

▼B: Oh! This was meant to be a surprise gift.
喔！這本來是一個驚喜的禮物。

......

▼A: I think I am lost.
我好像迷路了。

▼B: You had better **turn around** and go the other way.
你最好回頭，走另外一條路。

152

 MP3 Track 152

get out (of) | 動 出去

CH
1

CH
2

CH
3

CH
4

CH
5

CH
6

例句

Jimmy asked me to **get out of** his room because he wants to take a rest.
吉米要求我離開他的房間，因為他想要休息一下。

對話

▼A: I was able to **get out of** the house before the fire.
我在大火之前逃出了房子。

▼B: What happened to the others?
那其他人呢？

▼A: **Get out of** my room! I don't want to see you!
滾出我的房間，我不想看到你。

▼B: Just let me explain.
讓我解釋一下。

153

 MP3 Track 153

look up to someone
動 尊敬某人

例句

I **look up to** my mother, so I decide to become a person like her.
我很尊敬我媽媽，所以我想變成像她一樣的人。

對話

▼A: I have always **looked up to** my father.
我一直向我爸爸看齊。

▼B: So do I.
我也是。

▼A: I felt sad when Mr. Lee had to leave. I have always **looked up to** him.
當李先生要走的時候我很難過，我一直很尊敬他。

▼B: It's OK. He will come back soon.
沒關係，他很快就會回來的。

154

 MP3 Track 154

take a seat | 動 請坐

CH
1

CH
2

CH
3

CH
4

CH
5

CH
6

例句

The interviewer asked the interviewee to
take a seat at the beginning of the interview.
在面試開始時，面試官要面試者先坐下。

對話

▼ A: Why don't you **take a seat** and have some coffee?
你何不先坐下喝杯咖啡？

▼ B: Thanks.
謝了。

▼ A: **Take a seat**, so we can get started.
請坐下，這樣我們才可以開始。

▼ B: Sure. Is that seat taken?
好，這位子有人坐嗎？

155

 MP3 Track 155

in a hurry | 副 匆匆忙忙的

例句

I finished the homework **in a hurry**, so I made some mistakes without notice.

我匆匆忙忙地完成了作業，所以沒有注意到我犯了一些錯誤。

對話

▼ A: Why are you **in a hurry**?

你為什麼匆匆忙忙的？

▼ B: I am going to miss my school bus.

我快要搭不上我的校車了！

▼ A: Can you give me a ride to the station?

你可不可以載我到車站？

▼ B: Sorry. I am **in a hurry**.

對不起，我在趕時間。

156

 MP3 Track 156

make room (for)
動 讓位；為……讓出地方

🔈 **例句**

I have to **make room for** the huge package.
我要挪出一些空間給這個大包裹。

⚙️ **對話**

▼A: Why are you throwing all those books away?
你幹嘛把這些書都丟掉啊？

▼B: I need to **make room for** my new desk.
我需要移出一些空間給我的新桌子。

··

▼A: Hey! **Make some room for** Vivian. She doesn't have a seat.
喂！讓一些位子給薇薇安，她沒有位子。

▼B: She can sit here with me.
她可以和我一起坐。

157

 MP3 Track 157

take advantage of someone / something

動 佔……的便宜；利用

例句

He likes to **take advantage of** lunch time to read some articles.
他喜歡利用午餐時間讀一些文章。

對話

▼ A: Jason always **takes advantage of** everyone.
傑森總是佔大家的便宜。

▼ B: That's why he has no friends.
這就是他沒有朋友的原因。

▼ A: You should **take advantage of** your talent in learning language.
你應該好好利用你在學習語言方面的天份

▼ B: I will consider it.
我會好好考慮一下。

158

 MP3 Track 158

one another | 名 彼此 / 互相

例句

When Jack and I share life stories with **one another**, we feel like true friends.
當我和傑克互相分享彼此的生命故事，我們就像是真的朋友。

對話

▼ A: Why are they fighting?
他們幹嘛吵架？

▼ B: Because they don't like **one another**.
因為他們不喜歡彼此。

▼ A: They often hold parties at **one another's** houses.
他們經常在彼此的家裡舉辦宴會。

▼ B: Yeah. It's hard to believe.
是啊！真的很難得。

159

 MP3 Track 159

out of date | 形 過時的；過期的

例句

The jam is **out of date**, so I throw it away.
這罐果醬已經過期了，所以我把它丟了。

對話

▼ A: The clothes on her is **out of date**.
她穿的衣服已經過時了。

▼ B: It depends on how you look at it.
那是看你怎麼看囉。

▼ A: The information you gave me is **out of date**.
你給我的資料是過時的。

▼ B: Sorry. I'll check it right away.
對不起，我馬上查一下。

160

 MP3 Track 160

take a break | 動 休息一下

 例句

I usually **take a break** when I study for two hours.
在我唸了兩個小時書的時候，我通常會休息一下。

對話

▼A: I am too tired. I just can't go on anymore.
我太累了。我無法持續下去了。

▼B: Fine. We can **take a break** now.
好吧！我們現在休息一下吧！

....

▼A: Hey! **Take a break**. What is the rush?
喂！休息一下，幹嘛那麼急啊？

▼B: I need to get this done by tomorrow morning.
我需要在明天早上之前做完。

CH 1
CH 2
CH 3
CH 4
CH 5
CH 6

173

161

 MP3 Track 161

take charge / control of ...
動 掌管

例句

The young boss **takes charge of** the start-up company.
那個年輕的老闆掌管這家新創公司。

對話

▼ A: The new boss wants to **take charge of** everything.
新老闆什麼東西都想管。

▼ B: It won't be easy to deal with him.
和他溝通真的很難。

▼ A: Don't worry; I will **take control of** everything.
別擔心，我會掌管一切。

▼ B: That's what worries me.
那才是讓我最擔心的事情。

162

 MP3 Track 162

put a stop to something / put an end to something ｜動 阻止……

CH 1

CH 2

CH 3

CH 4

CH 5

CH 6

例句

The two countries reached an agreement to **put an end** to the war.
這兩個國家達到停戰的協議。

對話

▼A: We are wasting too much water. We need to **put a stop to** it.
我們浪費太多水了！我們要停止這樣做。

▼B: Yeah. It would be better to do that way.
對啊，這樣會比較好。

▼A: I have had enough of your attitude. I will **put an end to** it.
我受夠你的態度了，我要阻止你。

▼B: What are you talking about?
你在說什麼？

163 MP3 Track 163

take place | 動 發生／舉行

🔵 例句

When the war **took place**, I was just seven years old.
當戰爭發生的時候，我只有七歲而已。

⚙ 對話

▼ A: Do you know where the party will **take place**?
你知道派對會在哪裡舉行嗎？

▼ B: At Marty's house.
在馬緹的家。

▼ A: The gunfight **took place** right here.
槍戰就是在這裡發生的。

▼ B: Really?
真的？

164

 MP3 Track 164

on one's way to somewhere
副 去……的路上

 例句

Jason always grabs some food when he is **on his way to** the company.
傑森總是在去公司的路上順路買一些食物。

對話

▼ A: Where is Thomas going?
湯姆斯要去哪裡啊？

▼ B: He is **on his way to** the airport.
他在去機場的路上。

▼ A: I saw Mary **on my way** home.
我在回家的路上看到瑪麗。

▼ B: Really? What was she doing?
真的啊？她在幹嘛？

CH 1
CH 2
CH 3
CH 4
CH 5
CH 6

165

 MP3 Track 165

be out of the question
形 不可能

 例句

It **is out of question** for me to help her finish her work.
要我幫忙她完成她的工作是不可能的。

對話

▼A: Can you lend me some money?
你可不可以借我一些錢？

▼B: I am very poor right now. It is truly **out of the question**.
我現在很窮！不可能。

∙∙∙

▼A: I need you to get this done by six o'clock.
我需要你在六點之前把這個做好。

▼B: There are only two hours left. It **is out of the question**.
只剩兩小時了，不可能嘛！

166

 MP3 Track 166

go wrong (with) | 動 出錯

 例句

I always tell myself to stay calm when something **goes wrong**.
我總是告訴我自己,當事情出錯的時候要保持冷靜。

對話

▼A: Why isn't the computer working?
電腦為什麼不能用了?

▼B: I don't know what **goes wrong**.
我不知道出了什麼錯。

▼A: Don't worry. Everything will be fine.
別擔心,一切都會沒事的。

▼B: I just have a feeling that something will **go wrong**.
我總覺得有什麼會出錯。

CH 1

CH 2

CH 3

CH 4

CH 5

CH 6

167

 MP3 Track 167

lie down | 動 躺下

例句

I can fall asleep as soon as I **lie down**.
我一躺下就可以睡著了。

對話

▼A: I am so sleepy.

我好睏喔！

▼B: Do you want to **lie down** for a while?

你要不要躺一下？

....

▼A: I feel a bit ill, so I would like to **lie down**.

我覺得有一些不舒服，所以我想要躺下來。

▼B: Come here and take a rest.

來這邊休息一下吧。

168

 MP3 Track 168

run after someone / something
動 追著……

CH 1
CH 2
CH 3
CH 4
CH 5
CH 6

例句

The police is **running after** the thief down the street.
警察追著那小偷沿街跑。

對話

▼ A: Your dog is **running after** the postman.
你的狗追著郵差跑。

▼ B: Oh my God! Help me stop her.
天啊！幫我停住牠。

▼ A: Do you see the cute boy who is **running after** the butterfly?
你有看到那個追著蝴蝶的可愛男孩嗎？

▼ B: Where is he?
他在哪裡？

169

 MP3 Track 169

stay up (late) |動 熬夜

🔊 例句

Staying up late is not good for your health at all.

熬夜對你的健康一點也不好。

⚙ 對話

▼A: Why were you late this morning?

你今天早上為什麼遲到了？

▼B: I **stayed up late** last night.

我昨天晚上熬夜。

· ·

▼A: We have got a lot of work to do tonight.

我們今天晚上有很多事要做。

▼B: Yeah. I guess we will have to **stay up** all night.

是啊！我們今天晚上需要熬夜！

170

 MP3 Track 170

write down ｜動 寫下

🔘 例句

The writer often **writes down** some brief sentences when he finds the inspiration.
每次那個作家有靈感的時候,他都會寫下一些簡短的句子。

⚙ 對話

▼A: The things that the teacher said today were very important.
老師今天說的東西很重要。

▼B: I know. I have already **written** them **down**.
我知道,我已經全部寫下來了。

....

▼A: She always **writes down** what she has to do.
她總是把她要做的東西寫下來。

▼B: It is because she forgets easily.
是啊,那是因為她總是很容易就忘記了。

171 MP3 Track 171

get together | 動 聚在一起

例句

I enjoy the time **getting together** with my family on the weekend.
我很享受假日和家人聚在一起的時間。

對話

▼A: We had a wonderful time tonight.
我們今晚玩得真的很愉快！

▼B: Yeah! We should **get together** more often.
對啊！我們應該更常聚在一起。

....

▼A: What's the matter?
怎麼了？

▼B: The boss wants us to **get together**. He has got an announcement to make.
老闆叫我們聚在一起，他有事情宣佈。

172

 MP3 Track 172

feel funny | 動 覺得怪怪的

例句

When I saw the building for the first time, I **felt funny** about its design.
當我第一次看到那棟建築的時候，我就覺得它的設計很怪。

對話

▼ A: Everytime I see my childhood picture, I **feel funny**.
每次我看到自己小時候的照片就覺得怪怪的。

▼ B: I understand.
我可以了解。

▼ A: My stomach **feels funny**.
我的肚子覺得怪怪的。

▼ B: Did you eat anything spoiled?
是你吃了什麼壞掉的東西嗎？

173

 MP3 Track 173

hold on to someone / something

動 抓住某人或某東西

🔊 例句

The girl **held on to** her father's waist tightly.
那個女孩緊緊抓住她爸爸的腰。

⚙ 對話

▼A: I always get scared when I have to ride on your motorcycle.
我每次坐你的摩托車都覺得好害怕！

▼B: You can **hold on to** me.
你可以抓住我啊！

....

▼A: What should I do with the tickets?
這些票我該怎麼辦？

▼B: Remember to **hold on to** them.
記得帶好它們。

174

 MP3 Track 174

get hold of someone / something
動 找到某人 / 找來使用

例句

I must **get hold of** some more paper bags.
我必須再找些紙袋來用。

對話

▼ A: I am trying to **get hold of** Joe. Do you know where he is?
我找不到喬。你知道他在哪裡啊？

▼ B: I think he has already gone home.
我想他已經回家了。

·······························

▼ A: Could you please **get hold of** some tissue for me?
你可以幫忙拿一點衛生紙來給我嗎？

▼ B: No problem at all.
沒有問題。

175

MP3 Track 175

let in someone/ something
動 讓某人、東西進來

例句

I went to class late and my teacher wouldn't **let me in**.

我上課遲到了，我的老師不讓我進去。

對話

▼A: Is it all right if I **let my dog in**?

我可以把我的狗帶進來嗎？

▼B: Please don't, I am really afraid of dogs.

請不要，我真的很怕狗。

. . . .

▼A: Can you open the window and **let in** the fresh air?

你可以打開窗戶讓新鮮空氣進來嗎？

▼B: Alright.

好的。

176

 MP3 Track 176

tell time | 動 辨別時間

例句

You can **tell time** by looking at the shadows.
你可以看影子就知道現在幾點。

對話

▼A: What are you doing?
你在幹嘛？

▼B: I am teaching the kids to **tell time**.
我在教小朋友學習看時間。

....

▼A: How old when you are able to **tell time**?
你什麼時候開始能夠辨別時間？

▼B: I guess around five years old.
我猜大概是五歲吧。

177

 MP3 Track 177

catch/ have a cold ｜動 感冒

例句

We should sleep more when we **catch a cold**.
當我們感冒的時候最好多睡覺。

對話

▼A: It is so cold outside.
外面好冷喔！

▼B: Be careful not to **catch a cold**.
小心別感冒了。

▼A: Why were you not here last week?
你上禮拜怎麼沒來？

▼B: I **had a cold** and couldn't get out of bed.
我感冒了，沒辦法起床。

178

 MP3 Track 178

show off | 動 炫耀

CH
1

CH
2

CH
3

CH
4

CH
5

CH
6

例句

Betty **showed off** her famous brand bag by taking it with her all day long.
貝蒂一整天都帶著她的名牌包四處炫耀。

對話

▼A: How come nobody likes Jack?
　　為什麼沒人喜歡傑克？

▼B: It is because he always likes to **show off**.
　　因為他很喜歡炫耀。

．．．

▼A: He always tells me how rich his family is.
　　他總是告訴我他們家有多有錢。

▼B: He is just **showing off**.
　　他只是在炫耀。

179

 MP3 Track 179

Take it easy | 動 放輕鬆

🎧 例句

I think I will do better if I **take it easy**.
我想如果我放輕鬆我會做的比較好。

⚙ 對話

▼ A: I still can't believe that I failed my mid-term exam.
我仍無法相信我期中考當掉了。

▼ B: **Take it easy**. Work harder next semester.
放輕鬆一點。下學期再努力一點吧！

....

▼ A: I just can't stand it when I think of the unfair treatment.
我實在受不了不公平的待遇。

▼ B: Hey! **Take it easy**. Don't get frustrated.
放輕鬆！別生氣！

180

 MP3 Track 180

right here | 名 這裡

CH 1
CH 2
CH 3
CH 4
CH 5
CH 6

例句

After moving to this quiet place, I feel peaceful **right here**.
在搬到這個安靜的地方之後，我就覺得待在這裡非常平靜。

對話

▼A: I remember that I left my bag **right here** and now it's gone.
我記得我就把我的袋子放在這裡啊！可是它現在不見了。

▼B: Maybe someone took it by mistake.
也許有人不小心拿走了！

▼A: I will meet you **right here** at seven tomorrow.
我明天七點就跟你約在這裡喔！

▼B: OK. See you tomorrow.
好的！明天見。

181

 MP3 Track 181

(it's) no wonder | 副 難怪

例句

The questions are so difficult. **No wonder** no one gets high grades this time.
這些問題都好難，難怪這次沒有人得到高分。

對話

▼A: The coffee shop down the street shut down.
街上的那家咖啡店關門了。

▼B: **No wonder**. Their coffee was terrible.
難怪！他們的咖啡真難喝。

....

▼A: The air conditioner is broken. **No wonder** it is hot.
冷氣壞了，難怪那麼熱！

▼B: We had better get someone here to fix it.
我們最好趕快叫人來修吧！

182

 MP3 Track 182

show up | 動 現身；出現

CH 1
CH 2
CH 3
CH 4
CH 5
CH 6

例句

When the beautiful woman **showed up**, everyone was surprised at her beauty.
當那個美麗的女人出現的時候，所有人都對她的美貌感到驚訝。

對話

▼A: It's already eight and Jack still hasn't **showed up**.
已經八點了，傑克還沒來。

▼B: I guess we will have to go without him.
我想我們只好自己去囉！

▼A: How was the party last night?
昨晚的派對如何啊？

▼B: Pretty bad. Not many people **showed up**.
蠻糟的！沒有很多人來耶！

183 MP3 Track 183

give someone a hand
動 幫某人忙

例句

I feel warm when a stranger **gives me a hand**.
當有陌生人幫忙我的時候，我感覺到非常溫暖。

對話

▼ A: Do you want me to **give you a hand** to carry that suitcase?
你需不需要我幫你提行李？

▼ B: It's all right. I can carry it myself.
沒關係，我可以自己提。

▼ A: Fred wants you to **give him a hand** to fix his car.
佛來德想要你幫他修理他的車。

▼ B: Sure. Where is he now?
沒問題！他現在在哪裡？

184

 MP3 Track 184

millions (of) | 形 很多、無數的

CH 1

CH 2

CH 3

CH 4

CH 5

CH 6

例句

Millions of people were killed during the First and Second World War.
許多人在第一和第二次世界大戰中死掉了。

對話

▼A: I think we can earn **millions** by this new project.
我想藉由這個新的計劃我們可以賺到很多錢！

▼B: I couldn't agree more.
我完全同意。

▼A: **Millions of** people came to the concert to see the super star.
無數人來到這個演唱會就為了一賭巨星風采。

▼B: It was so crazy.
真是瘋狂！

185

 MP3 Track 185

on the one hand...; on the other hand...
連 一方面……，另一方面……

🎵 例句

On the one hand, playing video games develops children's logical thinking; **on the other hand**, it hurts their eyes.
玩電動遊戲一方面訓練孩子的邏輯思考；另一方面，卻也傷害孩子們的眼睛。

⚙️ 對話

▼ A: Tell me about your trip to Tokyo.
　　說說你去東京的旅行吧！

▼ B: Well, **on the one hand**, it was fun; **on the other hand**, we spent a lot of money.
　　一方面很好玩；另一方面，我們也花了很多錢。

▼ A: What are you going to do this weekend?
　　你這週末要做什麼？

▼ B: **On the one hand**, I want to have some rest. **On the other hand**, I want to go out with my friends.
　　一方面，我想要休息一下；另一方面，我又想跟我朋友去出去。

186

 MP3 Track 186

hang out (with)
動 和……閒混在一起

例句

When I was in senior high school, I **hung out** with my classmates quite often.
當我讀高中的時候，很常和我的同學混在一起。

對話

▼ A: What were you doing last night?
你昨天晚上在做什麼？

▼ B: Nothing special. Just **hanging out** with some friends.
沒什麼啊！就跟朋友在一起啊。

....

▼ A: My mother doesn't want me to **hang out** with them anymore.
我媽媽不讓我跟他們在一起了。

▼ B: I think you'd better listen to your mother.
我想你最好聽你媽媽的話。

187

 MP3 Track 187

put on something
動 戴上／穿上

例句

When people start to **put on** the coats, it means that the winter has come.
當人們開始穿搭起大衣的時候，就代表冬天來了。

對話

▼A: I can't see what the teacher is writing on the board.
我看不到老師黑板上的字。

▼B: Then why don't you **put on** your glasses?
那麼你為什麼不把你的眼鏡戴起來？

....

▼A: Mom, can I play outside?
媽媽，我可以出去玩嗎？

▼B: Only if you **put on** more clothes.
除非你穿多一點衣服。

188

 MP3 Track 188

be going to do something
動 要去做……

例句

Jimmy **was going to** go to Japan this summer, but he cancelled it.
傑米這暑假本來要去日本的，但他取消行程了。

對話

▼A: What **are you going to** do this weekend?
你這週末要去做什麼？

▼B: I haven't thought of it yet.
我還沒想到要做什麼。

▼A: Do you have any plan for the summer vacation?
你暑假有什麼計畫嗎？

▼B: I **am going to** attend an internship program.
我想要去參加一個實習計畫。

CH 1
CH 2
CH 3
CH 4
CH 5
CH 6

189

 MP3 Track 189

fall for someone/ something
動 愛上／中（計）

🎵 **例句**

I **fell for** my husband because he is a kind person.
我愛上我老公是因為他是個很好的人。

⚙️ **對話**

▼ A: I think I have **fallen for** Rita.
我想我已經愛上麗塔了。

▼ B: Really?
真的嗎？

....

▼ A: I am late because I helped an old lady cross the street.
我因為幫一位老太太過馬路所以遲到了。

▼ B: Do you think I am going to **fall for** your excuse?
你覺得我會中你的計嗎？

190 MP3 Track 190

face to face ｜副 面對面；當面

CH 1
CH 2
CH 3
CH 4
CH 5
CH 6

例句

I won't believe you unless you tell me **face to face**.

除非你當面告訴我，不然我不會相信你的。

對話

▼A: How do you feel about this project?

你覺得這計劃如何？

▼B: I think we should discuss this **face to face**.

我覺得我們還是要當面談！

▼A: Can you understand what I am talking about over the phone?

透過電話你聽得懂我在說什麼嗎？

▼B: Maybe we need to talk about this **face to face**.

也許我們應該當面談談。

191

 MP3 Track 191

listen to someone |動 聽某人的話

 例句

She never **listens to** her father.
她從來不聽她父親的話。

 對話

▼A: What will you do if you have a problem?
你有問題的時候怎麼辦？

▼B: I'll tell my mom and **listen to** her.
我會告訴我媽並聽她的意見。

....

▼A: **Listen to** me, John. I don't think it's a good idea for you to drop off from school.
聽我說，約翰，我不覺得輟學對你來說是一個好主意。

▼B: But I don't like the school at all.
但是我一點也不喜歡那間學校。

192

 MP3 Track 192

get the hang of something
動 得到竅門

CH
1

CH
2

CH
3

CH
4

CH
5

CH
6

例句

After some practice, I finally **get the hang of** it.

經過一些練習之後，我終於得到竅門了。

對話

▼ A: Soccer is very hard.

足球很難耶！

▼ B: Don't worry. You will **get the hang of it** soon.

沒關係，你很快就會得到竅門的。

・・・

▼ A: How long does it take for you to **get the hang of** dancing?

你花了多少時間才學到跳舞的竅門。

▼ B: At least two years in my case.

我自己是花了至少兩年。

193

 MP3 Track 193

in someone's way
副 阻礙、擋住某人的路

例句

I always tell my roommates not to leave things in corridor because they would be **in other's way**.
我總是告訴我的室友們不要把東西放在走廊，因為他們可能會擋到其他人的出路。

對話

▼A: Can you move that box? It's **in my way**.
你可不可以幫我把那盒子移開？它擋住我了。

▼B: Sure!
沒問題！

▼A: Hey! Move! You are **in my way**!
喂！讓開！你擋住我了！

▼B: Sorry!
對不起！

194

 MP3 Track 194

in order | 副 依序 / 放整齊

🔍 例句

I put my clothes **in order**, so that I can find the needed one quickly.

我把我的衣服擺放整齊,這樣一來我就能很快找到需要的那件。

⚙️ 對話

▼ A: Can you help me put these files **in order**?

　　你可不可以幫我把檔案放整齊?

▼ B: Sure. No problem.

　　當然!沒問題!

▼ A: The books are in a mess.

　　那些書真亂!

▼ B: Don't worry! I will put them **in order**.

　　別擔心!我會把它們擺整齊的。

195 MP3 Track 195

let go of someone/ something
動 對……放手

例句

Hold on to this rope and don't **let go of** it no matter what happens.

抓住這繩子，不管發生什麼事都不要放手！

對話

▼ A: Can you just let me explain?

你可不可以聽我解釋？

▼ B: **Let go of** my hand! You are hurting me.

放開我的手！你弄痛我了！

••

▼ A: I think you should **let go of** the past, or you will feel unhappy all the time.

我覺得你應該放下過去，不然你將永遠都不快樂。

▼ B: I'll try.

我會試試看。

196

 MP3 Track 196

not at all ｜ 副 一點也不……；毫不

 例句

I **don't** like cheese cake **at all**, but my mother always makes it for me.
我一點也不喜歡起司蛋糕，但是我媽媽總是做給我吃。

對話

▼A: Am I here early?
我早到了嗎？

▼B: No, **not at all**. In fact, you are the last one to arrive.
一點也沒有。實際上，你是最後到的。

••

▼A: Do you know what happened to John?
你知道約翰發生了什麼事？

▼B: No, I **haven't** heard from him **at all**.
沒有，我沒有他任何的消息。

197

 MP3 Track 197

get away with something
動 逃避懲罰

例句

How did he **get away with** stealing?
他是怎麼偷竊得手的？

對話

▼ A: You can't **get away with** being late every morning.
你不能每天早上遲到卻不受處罰！

▼ B: Sorry, I promise I won't do that again.
對不起！我答應下一次我不會再犯了。

....

▼ A: Did you know the robbers **got away with** their crime yesterday?
你知道搶劫犯昨天逃過懲罰了？

▼ B: Really? What's a horrible thing!
真的？太可怕的一件事情了！

198

 MP3 Track 198

doze off |動 打瞌睡

CH 1
CH 2
CH 3
CH 4
CH 5
CH 6

例句

It is very dangerous for a bus driver to **doze off** when he drives.
公車司機開車時打瞌睡是非常危險的。

對話

▼A: Oh my God! You nearly hit that old man!
天啊！你差一點撞到那老人了！

▼B: I am sorry. I just **dozed off**.
對不起，我剛剛打瞌睡了。

....

▼A: Do you know that there is a math quiz tomorrow?
你知道明天有數學小考嗎？

▼B: No, I **dozed off** in class.
不知道，我上課的時候睡著了。

199

 MP3 Track 199

give up | 動 放棄

例句

My mom always cheers me up when I want to **give up** something.

每當我想要放棄某件事情的時候，我媽總是會鼓勵我打起精神。

對話

▼ A: How was your test?

你考的如何？

▼ B: I **gave it up**. It was too hard.

我放棄了！太難了。

．．．．．．．．．．．．．．．．．．．．．．．．．．．．．．．．

▼ A: I just can't run anymore.

我再也跑不動了！

▼ B: Don't **give up!** We only have a hundred meters left.

別放棄！我們只剩一百公尺了。

200

 MP3 Track 200

grow up | 動 長大

🔍 例句

The cute girl told me that she wanted to be the president when she **grew up**.
那個可愛的女孩告訴我她長大想要當總統。

⚙️ 對話

▼ A: What are you going to be when you **grow up**?
你長大後想做什麼？

▼ B: I haven't thought of it yet.
我還沒想到。

....

▼ A: Most kids wish that they could **grow up** faster.
許多小孩都希望快快長大。

▼ B: Yeah. But most adults wish that they could be kids again.
對啊！但是很多大人都希望回到小時候。

CH 1
CH 2
CH 3
CH 4
CH 5
CH 6

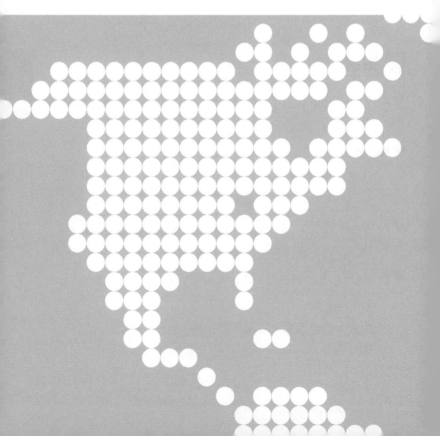

Chapter 5
片語 201 ～ 250

使用頻率
60%

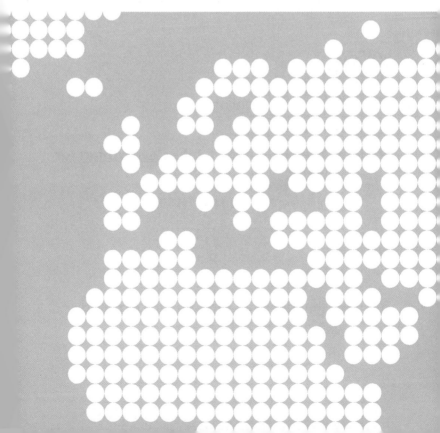

使用頻率
50%

Chapter 6
片語 251 ～ 300

201

 MP3 Track 201

take someone/ something for granted |動 認為……當然之事

例句

We shall never **take others' help for granted**.
我們永遠都不應該把別人的幫忙視作理所當然。

對話

▼ A: Why are they fighting?
他們幹嘛吵架啊？

▼ B: She complains that he **takes everything for granted**.
她抱怨他每次都視一切為理所當然的事。

▼ A: Why did she break up with you?
她幹嘛跟你分手？

▼ B: She thought that I **took her for granted**.
她覺得我把她視為理所當然的。

202

 MP3 Track 202

turn in |動 交（作業）

例句

Johnny failed history because he forgot to **turn in** his reports.

強尼的歷史被當了，因為他忘了交他的報告。

對話

▼A: When do we have to **turn in** our homework?

我們什麼時候要交作業？

▼B: I am not sure. I think on Friday.

我不確定，我想是星期五吧。

⋯⋯⋯⋯⋯⋯⋯⋯⋯⋯⋯⋯⋯⋯⋯⋯⋯⋯⋯⋯⋯

▼A: Why are you in a rush?

為什麼你這麼匆忙？

▼B: I have to **turn in** the homework by twelve, and now is eleven thirty.

我必須在十二點前交作業，而現在已經十一點半了。

CH 1
CH 2
CH 3
CH 4
CH 5
CH 6

217

203

 MP3 Track 203

make friends (with)
動 和……做朋友

例句

It's hard to **make friends** when you are in a new environment.
當你在新的環境很難交新的朋友。

對話

▼ A: How can you **make friends** with Danny?
你怎麼能和丹尼交朋友啊？

▼ B: Well, he isn't that bad.
哎呀！他沒那麼糟啦！

▼ A: What would you want to do when you enter the university?
你上大學之後想做些什麼？

▼ B: I want to **make friends with** interesting people.
我想要跟有趣的人交朋友。

204

 MP3 Track 204

let someone/ something out
動 讓……走／出去

CH
1

CH
2

CH
3

CH
4

CH
5

CH
6

例句

Stay away or I will **let my dog out**.
走開，不然我要放出我的狗喔！

對話

▼ A: Why are you home late?
你怎麼晚回家啊？

▼ B: Our teacher didn't **let me out**. She said I had to finish my homework first.
我們的老師不讓我走。她說我得先把我的功課寫完。

▼ A: Mom, I want to go outside to play with my friends.
媽媽，我想要出去和朋友玩。

▼ B: Unless you finish your homework, I will **let you out**.
只要你完成你的功課，我就會讓你出去。

205

 MP3 Track 205

pull up | 動 拉起來

📀 例句

She slipped into the river, so I got closer to her and **pulled her up**.
因為她跌進河裡，所以我靠近她把她拉上來。

◎ 對話

▼ A: Can you help me **pull up** the window?
你可不可以幫我把窗戶拉起來？

▼ B: Sure.
沒問題！

▼ A: Why are there so many people by the lake?
怎麼那麼多人在湖邊啊？

▼ B: Somebody has drowned and they are trying to **pull him up**.
有人溺水了，他們在試著把他拉起來！

206

 MP3 Track 206

bring up someone
動 帶大……；養育

CH
1

CH
2

CH
3

CH
4

CH
5

CH
6

例句

I am thankful for my mom to **bring me up** by herself.
我很感謝我母親獨自把我扶養長大。

對話

▼ A: My grandparents **brought me up**.
我外公外婆把我帶大的。

▼ B: Then you must have a deep affection for them.
那麼你對他們一定有深厚的感情。

▼ A: It will take a lot of effort and time to **bring up** one child.
把一個小孩帶大需要很多的精力和時間。

▼ B: Yeah. I don't know what I am going to do when I have my own child.
對啊，我真不知道我有自己的小孩會怎樣。

207

MP3 Track 207

fool around (with) | 動 鬼混

例句

When I was young and had nothing to do, I asked my friends to **fool around** with me.

小時候當我沒有任何事可以做的時候，我會叫我的朋友和我一起四處鬼混。

對話

▼ A: Sam! Stop **fooling around** and get back to work.

山姆！你別再鬼混了！工作去吧！

▼ B: Come on! Everyone needs a rest once in a while.

哎喲！大家偶爾都需要休息一下嘛！

....

▼ A: You will get into trouble sooner or later if you don't stop **fooling around with** them.

你再不停止跟他們一起鬼混，你一定會惹禍的。

▼ B: But all of them treat me very well.

但是他們都對我很好啊！

208

 MP3 Track 208

go on a trip | 動 去旅遊

CH 1
CH 2
CH 3
CH 4
CH 5
CH 6

🔊 例句

My family is scheduled to **go on a trip** this summer vacation.
我們一家人預定這個暑假要去旅遊。

⚙ 對話

▼ A: Why were you not home these days?
你這幾天怎麼不在家？

▼ B: My family and I **went on a trip**.
我和我的家人去旅遊了。

· ·

▼ A: Do you want to **go on a trip** to Japan with us?
你要不要和我們一起去日本旅遊？

▼ B: No, thanks. It's too expensive.
不要了，太貴了。

209

 MP3 Track 209

keep track (of) | 動 記錄

例句

The historical books **keep track of** the myths in the past.
這些歷史書記錄過去的神話故事。

對話

▼A: I need you to **keep track of** the bill for me.
我需要你幫我記錄我的帳單。

▼B: I don't think I will be able to do it.
我想我沒辦法勝任。

....

▼A: What is your research about?
你們的研究調查是關於什麼？

▼B: We are trying to **keep track of** the movement of the sun.
我們在記錄太陽的動向。

210

 MP3 Track 210

go over | 動 複習

CH 1

CH 2

CH 3

CH 4

CH 5

CH 6

例句

I am used to **going over** the learning materials after school.
我習慣在課後會複習學習教材。

對話

▼A: You'd better **go over** the main points again before your test.

考試之前,你最好複習一下重點。

▼B: I have already gone over it twice.

我已經複習兩次了。

▼A: Our teacher has already **gone over** chapter one for us.

我們老師已經幫我們複習過第一單元了。

▼B: Fine. We can start from chapter two.

好吧!那我們由第二章開始吧!

211

 MP3 Track 211

catch (on) fire |動 著火

📖 例句

The landlord is afraid that her house will **catch on fire**, so she banishes her tenants from smoking.

房東太太很怕抽菸會導致火災，所以她禁止房客抽菸。

⚙️ 對話

▼A: Put off your cigarette. It may **catch on fire**.

把你的香煙熄了，有可能會著火。

▼B: Thanks for reminding me.

謝謝你提醒我。

▼A: Why was his house on fire?

他的房子為什麼失火了？

▼B: They forgot that they were boiling water and everything **caught on fire**.

他們忘記他們在煮開水，然後一切都著火了。

212

 MP3 Track 212

take long (to go)
動 花了很多時間（做）……

🔊 例句

It **takes long** for a writer to finish a whole novel.
對一個作家來說要完成一整本小說需要花很多時間。

⚙ 對話

▼ A: Your final report was perfect.
你的期末報告實在是太完美了！

▼ B: Well, it **took too long** to finish it.
是啊，可是花了我很多時間做完呢！

▼ A: Did it **take long** to get to Taipei?
你們去台北有沒有花很多時間？

▼ B: It's only a two-hour drive.
開車只花了兩小時。

CH 1
CH 2
CH 3
CH 4
CH 5
CH 6

213

 MP3 Track 213

get through something | 動 熬過

例句

I believe that I will become a strong person after **going through** the tough training.
我相信在經過嚴格的訓練之後，我會變成一個強大的人。

對話

▼ A: I heard that you broke up with your boyfriend. Are you alright?
我聽說你跟你的男朋友分手了。你還好嗎？

▼ B: I don't know how to **get through** it.
我不知道要怎麼熬過去。

....

▼ A: How did you **get through** the military training?
你是怎麼熬過當兵那段時期的？

▼ B: Well, I just tried not to think of anything.
我就試著什麼都不想囉！

214

 MP3 Track 214

do over something ｜動 重做……

CH 1

CH 2

CH 3

CH 4

CH 5

CH 6

📀 例句

It is frustrating for me to **do over** the project.
要重做提案讓我覺得很挫敗。

⚙️ 對話

▼ A: Why do you look so depressed?
你怎麼看起來那麼沮喪？

▼ B: My teacher told me to **do** my homework **over**.
我老師叫我把功課重做。

▼ A: I think you are writing on the wrong page.
你好像寫錯頁了。

▼ B: Oh my God! I have to **do it over**!
天啊！我想我得重做了。

215

 MP3 Track 215

hang on to something | 動 守住

 例句

I have to **hang on to** my hat in case it blows away.
我必須要抓住自己的帽子以防它飛走。

🔘 **對話**

▼ A: Can you **hang on to** my bag for me?
你可不可幫我看著我的包包？

▼ B: Sure. Where are you going?
沒問題！你要去哪裡啊？

▼ A: I think it's time to sell my stocks.
我想是我把我的股票賣掉的時候了。

▼ B: You should **hang on to** it for a while.
你應該再守住一下的。

216

 MP3 Track 216

inside out | 形 由裡向外

CH 1
CH 2
CH 3
CH 4
CH 5
CH 6

例句

My mom told me to turn clothes **inside out** when washing them.
我媽媽要我把衣服反過來洗。

對話

▼A: Do you know that your T-shirt is **inside out**?
你知不知道你的 T 恤穿反了？

▼B: It is the latest fashion.
這是最新的流行耶！

▼A: It dries faster if you turn your clothes **inside out**.
如果你把衣服反過來曬，會比較快乾。

▼B: Really? I didn't know that.
真的嗎？我以前都不知道耶！

217

 MP3 Track 217

laugh at someone / something
動 取笑……

例句

Laughing at someone is not a good behavior.
嘲笑某人不是一個好的行為。

對話

▼A: Jenny fell down and everyone **laughed at** her.
珍妮摔倒了，大家都取笑她．

▼B: Poor Jenny.
可憐的珍妮．

· ·

▼A: Eveyone **laughed at** the poor boy.
大家都取笑那個可憐的小男孩。

▼B: That's really nasty.
那樣做真的很惡劣。

218

 MP3 Track 218

straighten out someone/ something |動 使變好／整理

CH 1
CH 2
CH 3
CH 4
CH 5
CH 6

例句

I am used to **straightening myself out** before I go out.
我習慣在出門以前先把我自己打扮整齊。

對話

▼ A: Look at you! You had better **straighten yourself out**.

看看你！你最好改正一下你自己。

▼ B: It's none of your business.
這不關你的事。

▼ A: The files here are all out of order.
這些資料都亂了。

▼ B: I can help you **straighten them out**.
我可以幫你把它們弄整齊。

219

 MP3 Track 219

take over something
動 接收／接管

例句

The Germans nearly **took over** the whole Europe during the Second World War.
在第二次世界大戰的時候，德國人差一點占據了整個歐洲。

對話

▼A: Guess who will **take over** the position of the manager?
猜猜看誰會來接經理的位置？

▼B: Well, I have no clue.
我一無所知。

▼A: The CEO announced that we will change the name of our company.
執行長宣布我們要改掉公司的名字。

▼B: It is because a Japanese enterprise **takes over** the company right now.
那是因為我們的公司現在由一個日本企業接管。

220

 MP3 Track 220

have had enough (of)
動 夠了 / 受夠了

🎧 例句

I have **had enough of** repeating the same work all the time.
我對總是不停重複相同的工作已經覺得受夠了。

⚙ 對話

▼ A: Would you like to have some more pie?
要不要再來一塊派？

▼ B: No, thank you. I really have **had enough**.
不了，謝謝！我已經夠了！

....

▼ A: Hey! Move it.
喂！讓開！

▼ B: Watch your manners. I have **had enough of** your attitude.
注意你的禮貌！我已經受夠你的態度了！

CH 1

CH 2

CH 3

CH 4

CH 5

CH 6

221

 MP3 Track 221

keep up (with) |動 跟上／保持

例句

Even though Susan walks slowly, she tries her best to **keep up with** others.
即使蘇珊走路很慢，她還是盡力跟上大家的腳步。

對話

▼A: Hey! Slow down! I can't **keep up with** you.
喂！慢一點！我跟不上你了啦！

▼B: Walk faster, or we'll be late.
走快一點，不然我們要遲到了！

▼A: Nice job. **Keep up** the good work.
做得很好！繼續加油。

▼B: Thanks boss.
謝謝老闆。

222

 MP3 Track 222

keep out (of)
拒……進入 / （使）遠離

例句

Keep out of the dangerous places so that you won't get hurt.
遠離危險的地方，如此一來你就不會受傷。

對話

▼ A: **Keep** your dog **out of** my room.
叫你的狗不准進我的房間。

▼ B: She won't cause you any trouble.
牠不會惹麻煩的啦！

....

▼ A: Remember, kids. **Keep out of** trouble!
聽到囉，孩子們！不准惹禍！

▼ B: OK.
好的。

CH 1
CH 2
CH 3
CH 4
CH 5
CH 6

223

 MP3 Track 223

lend someone a hand
動 幫忙某人

例句

We shall express our gratitude after someone **lends us a hand**.
我們應該在別人幫助我們之後表達感謝。

對話

▼ A: Can you **lend me a hand** with this box?
你可不可以幫我搬一下這盒子？

▼ B: Sure. Where do you want to put it?
當然！你要把它放在哪裡？

▼ A: You look puzzled. Want me to **lend you a hand**?
你看起來很困擾，要不要我幫忙啊？

▼ B: I would be very thankful if you did.
如果你要幫我的話我會很感激。

224

 MP3 Track 224

at last ｜副 終於

 例句

At last, the depressed girl broke up with the bad guy.
那個難過的女孩子終於在最後和那個壞傢伙分手了。

對話

▼ A: After an eight-hour drive, we got there **at last**.
經過了八小時的車程，我們終於到了那裡。

▼ B: We can finally take a rest.
我們終於可以休息一下了。

▼ A: How is Fred doing?
佛來德最近如何？

▼ B: He is going to get a job **at last**.
他終於要有工作了。

225

 MP3 Track 225

at once | 副 立刻

例句

The house looks so dangerous, and we had better leave **at once**.

這個房子看起來好危險，我們最好趕快離開。

對話

▼A: Is there anything I can do for you?

我可以為你做什麼事嗎？

▼B: Yes, I would like you to send this package to the post office **at once**.

是的，我想麻煩你立刻把這包裹送到郵局。

▼A: Come to my office **at once**.

現在立刻進來我的辦公室。

▼B: Yes!

是的。

226

 MP3 Track 226

by oneself | 副 單獨地

例句

After working for the whole day, I like roaming on the street **by myself**.
在工作一整天之後,我喜歡在街上閒晃。

對話

▼ A: I designed my new house **by myself**.
我自己設計了我的新房子。

▼ B: You are a genius.
你真是一個天才耶!

....

▼ A: I went to the market **by myself**.
我自己一個人去市場。

▼ B: Didn't Lucy go with you?
露西沒跟你去嗎?

CH
1

CH
2

CH
3

CH
4

CH
5

CH
6

227

 MP3 Track 227

take / have a look at
動 看一看 / 瞧一瞧

例句

When I passed by the beautiful shop, I can't stand to **take a look at** it.
當我經過那間漂亮的店，我忍不住跑去看一下。

對話

▼ A: Do you mind if I **have a look at** your room?
你介不介意我看一下你的房間？

▼ B: No. Go ahead.
不會，請吧！

▼ A: Let's **take a look at** that new bookshop.
我們去瞧一瞧那家新的書店吧。

▼ B: I'm not available right now. Maybe next time.
我現在沒空，也許下一次吧！

228

 MP3 Track 228

keep from doing something
動 避免做……

例句

I **keep** my little sister in the house **from** getting lost.
我把我的小妹妹留在家以防她走失。

對話

▼ A: Why did you build the fence?
你為什麼要蓋那個籬笆？

▼ B: I want to **keep** my dog **from** running out.
我要避免我的狗跑出去。

▼ A: How was the game?
比賽如何？

▼ B: Terrible. I just can't **keep myself from** making mistakes.
糟透了！我一直犯錯！

229

 MP3 Track 229

at least | 副 至少

📀 例句

If we won't go visit Sam, we should **at least** call him to let him know.
如果我們不會去拜訪山姆，我們至少應該打電話給他讓他知道。

⚙ 對話

▼ A: How can I improve my poor English?
我怎麼改善蹩腳的英文呢？

▼ B: You have to practice English **at least** one hour everyday.
你每天至少必須練習一個小時的英文。

▼ A: I wonder how much this car is.
我不知道車子多少錢？

▼ B: I guess it is **at least** a million.
我猜至少百萬元。

230

 MP3 Track 230

pass out |動 昏倒／分發

CH 1

CH 2

CH 3

CH 4

CH 5

CH 6

例句

When the girl **passed out**, no one knew what exactly they should do.
當女孩昏倒的時候，沒有人真的知道應該怎麼做。

對話

▼ A: John **passed out** because of the hot sun.
約翰因為太陽太大了，所以昏倒了。

▼ B: Move him in the shade and then give him some water.
把他帶到樹蔭下，然後給他一點水。

▼ A: Is there anything I can do for you?
我可以幫你做什麼嗎？

▼ B: Can you **pass out** the leaflets for me?
你可不可以幫我發傳單？

231

 MP3 Track 231

go to school | 動 去上學

例句

It is students' responsibility to **go to school** everyday.

去學校上學是學生的責任。

對話

▼A: How do you **go to school**?

你怎麼去上學？

▼B: I take the bus.

我坐公車。

▼A: We have to **go to school** everyday.

我們每一天都要去上學。

▼B: You are right.

你說的沒錯！

232

 MP3 Track 232

beat around the bush
動 說話拐彎抹角

例句

I don't like to **beat around the bush**, so I always express my real thoughts immediately.
我不喜歡拐彎抹角，所以我總是直接表達自己真實的想法。

對話

▼ A: Stop **beating around the bush** and tell me what you want.
你別再拐彎抹角的，告訴我你要什麼？

▼ B: Can you lend me some money?
你可以借我一些錢嗎？

▼ A: Well, the weather is pretty good today.
今天的天氣不錯耶！

▼ B: Get to the point. Don't **beat around the bush**.
重點呢？別拐彎抹角。

233

 MP3 Track 233

in the long run
副 以長期觀點來看

例句

The enterprise plans to expand their branches worldwide **in the long run**.
長期而言，這家企業計劃要擴展全球的據點。

對話

▼A: You should earn more experience when you are young; it does you good **in the long run**.
以遠見來看，你應該在年輕的時候累積多一點的經驗。

▼B: I think you are right.
你說的沒錯。

....

▼A: We will be better off **in the long run** if we start saving money now.
就長遠的觀點來看，我們要現在就開始存錢，這樣對以後比較好。

▼B: I know, but it's very hard.
我知道，可是這樣很難。

234

 MP3 Track 234

on second thought
副 再想一下／考慮

CH 1

CH 2

CH 3

CH 4

CH 5

CH 6

例句

I think you should make a decision **on second thought**.

我認為你應該在做決定之前再多加考慮一下。

對話

▼ A: Why don't you go to the beach with us?

你要不要跟我們一起去海邊？

▼ B: **On second thought**. Why not?

我想一下。有何不可？

....

▼ A: Is one cube of sugar enough?

一塊糖夠不夠？

▼ B: Yes, thank you. Oh, **on second thought**, make it two.

好的，謝謝。喔，我想一下，兩個好了！

235

MP3 Track 235

be (flat) broke |形 破產的

例句

The company **is broke**, so every employee has to find a new job.

這家公司破產了，所以每一位員工都必須要找其他的工作。

對話

▼A: Can you lend me five hundred dollars?

你可不可以借我五百塊？

▼B: Sorry, I **am broke**.

對不起，我沒錢了。

▼A: I spent all my money at the club yesterday. I **am flat broke**.

我昨天在俱樂部把所有的錢花光了。我現在一毛錢都沒有了。

▼B: Don't worry. I can lend you some.

別擔心，我可以借你一些。

236

 MP3 Track 236

hand out something (to)
動 分發（稿子）

例句

The teacher **handed out** the teaching materials to students.
老師把教材分給學生。

對話

▼ A: What did they **hand out** during the meeting?
開會的時候，他們發了些什麼？

▼ B: I don't know. I wasn't there.
我不知道，我不在那裡。

....

▼ A: Can you **hand out** these programs for me?
你可不可以幫我發這些節目表？

▼ B: Sure.
當然！

CH 1

CH 2

CH 3

CH 4

CH 5

CH 6

237

 MP3 Track 237

read over something | 動 讀完

例句

I feel satisfied after **reading over** all these books.

在讀完這邊所有的書之後，我覺得很滿足。

對話

▼A: I **read** your papers **over** and I think it's perfect.

我把你的報告讀過之後，覺得那很棒！

▼B: Thank you.

謝謝。

．．．

▼A: You had better **read** your files **over** again quickly.

你最好很快的把你的資料再讀過一遍。

▼B: I will do it right away.

我馬上就做。

238

 MP3 Track 238

back and forth | 副 來來回回

例句

The dog paced **back and forth** in the cage.
那隻狗在籠子裡面來回踱步。

對話

▼A: If you are going to argue **back and forth** like this, you will never come to an agreement.
如果你們一直這樣一人一句爭吵的話，你們不會有結論的。

▼B: Then what is your good idea?
那你有什麼好主意？

▼A: I just can't stop walking **back and forth** when I am worried.
當我擔心的時候，我無法停止走來走去。

▼B: You are making me dizzy.
你讓我頭暈了。

CH 1

CH 2

CH 3

CH 4

CH 5

CH 6

253

239

 MP3 Track 239

end up | 動 結果以……結束

例句

It is a sad story that the old friends **end up** becoming strangers.

老朋友最後變成陌生人是件悲傷的事。

對話

▼A: If you keep on driving that slowly, we will **end up** the day on the road.

如果你一直這樣的慢慢開，我們會一整天都耗在路上的。

▼B: Then why don't you drive?

那你開好了。

▼A: Eddie broke his leg and he is in the hospital.

艾迪摔斷了他的腿，他現在在醫院。

▼B: How did he **end up** like that?

他怎麼會發生這種事的啊？

240

 MP3 Track 240

tell things apart ｜動 分辨……

例句

I can't **tell things apart** without my glasses.
沒戴眼鏡，我就什麼東西都分不清。

對話

▼ A: This watch is much more expensive than that one.
這隻錶比那一支錶貴很多。

▼ B: Well, I wouldn't be able to **tell them apart**.
我分不出來。

▼ A: This one is an authentic product, and the others are fake ones. Can you **tell them apart**?
這件是真貨，而其他都是假的，你可以分辨出來嗎？

▼ B: They look exactly the same to me.
在我看來，它們完全一模一樣。

CH 1
CH 2
CH 3
CH 4
CH 5
CH 6

241

 MP3 Track 241

fix someone up / fix something up |動 安頓 / 修理

例句

The doctor promised that he could **fix me up** with some pills.
醫生向我保證他可以用一些藥丸來治好我。

對話

▼A: Can you repair my air conditioner?
你可以幫我修理我的冷氣機嗎？

▼B: No problem, I can **fix it up** for you.
沒問題，我可以幫你修。

▼A: Can you get the washing machine **fixed up** by afternoon?
你中午以前可不可把洗衣機修好？

▼B: I don't know, I will try my best.
我不知道喔！我盡力囉！

242

 MP3 Track 242

cut down |動 減低；減少

例句

The company **cut down** the event budget.
公司刪減了活動方面的預算。

對話

▼A: You had better **cut down** on the candies.
你最好少吃一點糖。

▼B: Hey! You don't need to tell me what to do.
喂！你不需要告訴我怎麼做。

··

▼A: The government decided to **cut down** the tax rate.
政府決定要減少稅收。

▼B: Are you sure about that?
你確定嗎？

243  MP3 Track 243.

know/ learn by heart
動 默誦 / 背誦

例句

Learning by heart after reviewing is the most efficient way for study.

對於讀書來說，在複習後默背是最有效的方式。

對話

▼A: I have **learned** the things that the teacher taught us **by heart**.

我把老師教我的東西都背起來了。

▼B: Are you kidding?

你說真的嗎？

▼A: I **know** the story **by heart**.

那故事我已經背起來了。

▼B: Then tell me what is going to happen next.

那告訴我接下來會發生什麼事？

244

 MP3 Track 244

have nothing to do with someone / something
動 和……沒有關係

例句

The awkward situation **has nothing to do with** group members' working attitude.
這個糟糕的狀況和小組成員的工作態度一點關係也沒有。

對話

▼ A: Do you want to go to the movies? And maybe after the movie, we could take a walk on the beach.
你要不要去看電影？也許之後我們可以去沙灘散步。

▼ B: I **have nothing to do with** you.
我和你沒有關係。

▼ A: My work is related to the development of human resources.
我的工作和開發人力資源有關係。

▼ B: Well, my job **has nothing to do with** that.
我的工作和那沒關係。

245

 MP3 Track 245

at (such) short notice ｜副 臨時

例句

It is really impolite to visit someone **at short notice**.

臨時拜訪某人是很不禮貌的。

對話

▼A: I am not sure if I can get all the work done **at such short notice**.

我不知道我能不能在這麼短的時間內把東西都做完？

▼B: Just try your best.

盡力囉。

▼A: Sorry to call you here **at such short notice**.

對不起，臨時把你叫來了。

▼B: It's OK. So, what's the problem?

沒關係！怎麼了？

246

 MP3 Track 246

wait up (for) |動 不睡等著

例句

His parents **waited up for** him until midnight and then finally went to bed.

他的父母親一直等他等到半夜，然後他們終於上床睡覺了。

對話

▼A: Did you know that I **waited up for** your call?

你知道我一直在等你的電話？

▼B: Sorry, I forgot about it.

對不起，我忘記了。

▼A: I will come back late tonight.

我今晚會晚點回到家。

▼B: I will **wait up** until you come back.

我會等到你回來。

247

 MP3 Track 247

point out something | 動 指出……

📀 例句

The teacher **pointed out** that we were not working hard enough.
老師指出，我們不夠用功。

⚙️ 對話

▼ A: You made a mistake here.
你在這裡出了一個錯。

▼ B: Thanks for **pointing it out** to me.
謝謝你為我指出來。

⋯⋯⋯⋯⋯⋯⋯⋯⋯⋯⋯⋯⋯⋯⋯⋯⋯⋯⋯⋯⋯⋯⋯⋯⋯⋯⋯⋯⋯⋯

▼ A: Can you **point out** the part you worked on in this project?
你可以指出在這個專案中你負責的部份嗎？

▼ B: It's here.
在這邊。

248

 MP3 Track 248

hand in | 動 繳交

CH
1

CH
2

CH
3

CH
4

CH
5

CH
6

 例句

The professor requested us to **hand in** the final paper by next Thursday.
教授要求我們在下週四之前交出期末報告。

對話

▼A: We should **hand in** the final report tomorrow.
我們明天要交期末報告。

▼B: Oh my God! I forgot about it.
天啊！我忘記了！

....

▼A: You were supposed to **hand in** the files to me last Friday.
你上星期五就應該把資料文件交給我的。

▼B: I know, but I couldn't find you.
我知道，可是我找不到你啊。

249

 MP3 Track 249

once and for all
副 最後一次／斷然地

🎵 **例句**

I hope we can make the decision in the meeting **once and for all**.
我希望我們可以在會議中一次做好決定。

⚙️ **對話**

▼ A: I told him **once and for all** that he couldn't buy a motorcycle.
我斷然地告訴他，不可以買摩托車。

▼ B: Well, he must be very depressed.
他一定很難過。

....

▼ A: I am going to get everything straight with you **once and for all**.
我要跟你一次把事情講清楚。

▼ B: Good. I do think so.
很好！我也這樣想。

250

 MP3 Track 250

look into something
動 調查；研究

CH 1

CH 2

CH 3

CH 4

CH 5

CH 6

例句

To complete my marketing research, I use the questionnaires to **look into** the market.
為了要完成我的市場研究，我利用問卷來調查市場狀況。

對話

▼ A: It was a mystery how she died.
她的死因是一個謎。

▼ B: Yeah, the police are **looking into** it.
對啊，警察已經展開調查了。

▼ A: The FBI should really **look into** this murder case.
FBI 應該要好好調查這宗謀殺案。

▼ B: Right! They should find out the real murderer.
對啊！他們應該要找出真正的兇手。

251

 MP3 Track 251

take apart something
動 把⋯⋯拆開

例句

Sam likes **taking apart** the machine to see how it works.
山姆喜歡拆開機器觀察它是怎麼運作的。

對話

▼A: Can you fix the computer for me?
你可不可以幫我修電腦？

▼B: Sure, but I need some tools to **take it apart**.
當然，但是我需要一些工具把它拆開。

▼A: What happened to your telephone?
你的電話怎麼了？

▼B: I **took it apart** to fix it, but now. I can't put it together.
我把它拆了修理，現在我組合不回去了。

252

 MP3 Track 252

think up something | 動 想出

CH 1
CH 2
CH 3
CH 4
CH 5
CH 6

例句

The tutor leads the students to **think up** new ideas.

那位教師引導學生想出新的想法。

對話

▼ A: We have to change our schedule because of the weather.

因為天氣的關係，我們必須改變行程。

▼ B: I guess we'll have to **think up** a new plan.

我們得想一個新的計畫了。

．．．．．．．．．．．．．．．．．．．．．．．．．．．．．．．．．

▼ A: You can't enter without a tie.

你沒戴領帶不能進來。

▼ B: Who **thought up** such a stupid rule?

是誰想出這麼愚蠢的規定的？

253

 MP3 Track 253

a number of | 形 有一些

例句

There are **a number of** reasons why I want to get into this university.
我想進入這間大學是有很多原因的。

對話

▼ A: Excuse me, Mr. Lin. There are **a number of** people waiting for you.
林先生，有一些人在等你。

▼ B: OK. Let them in.
好的，讓他們進來吧！

....

▼ A: There are **a number of** ways to get to Boston.
去波士頓有好多方法。

▼ B: Just tell me the fastest way.
就告訴我最快的方法吧！

254

 MP3 Track 254

wear someone/ something out
動 使人累壞 / 磨損、耗損

例句

Walking all day long truly **wore me out**.
走一整天真的讓我累壞了。

對話

▼A: The game really **wore me out**.
比賽讓我累死了。

▼B: I think you should exercise more.
你應該多多運動。

▼A: Your jeans are all **worn out**.
你的牛仔褲都磨損了。

▼B: They look better like this.
這樣看起來比較好。

255

 MP3 Track 255

give birth (to) |動 生產

🔘 例句

In the past, it was risky for a mother to **give birth to** a baby.
在過去，一個母親要生小孩是一件很有風險的事情。

⚙️ 對話

▼ A: Look! The dog **gave birth to** three puppies.
看！這隻狗生了三隻小狗。

▼ B: How cute they are!
他們怎麼這麼可愛！

▼ A: Congratulations! Your wife just **gave birth to** a baby girl.
恭喜！你太太剛剛生了一個小女孩。

▼ B: Yes! I am finally a daddy!
太好了！我終於做爸爸了！

256

 MP3 Track 256

get even (with) / get back (at)
動 對……施以報復

例句

He cheated me out of all my money this time, but I'll **get back at** him one day.
他這次騙取了我所有的錢，但是我有一天會向他報復。

對話

▼ A: Joe is not going to get away with that.
我不會就這麼放過喬。

▼ B: Yeah. Let's **get even with** him.
對啊，我們來向他報復。

▼ A: I want to **get back at** the man who betrayed me.
我想要報復那個背叛我的男人。

▼ B: I think you should forgive him.
我認為你應該要原諒他。

CH 1
CH 2
CH 3
CH 4
CH 5
CH 6

257  MP3 Track 257

throw away | 動 把東西丟掉

例句

I don't like to **throw away** any personal belongings, so my room is full of old stuff.
我不喜歡丟掉任何私人用品,所以我的房間充滿各種舊東西。

對話

▼A: Can you **throw away** this old bag for me?
你可不可以幫我把這個舊包包丟掉?

▼B: Sure.
沒問題!

▼A: If you don't put away your things, I will **throw** them all **away**.
如果你不把東西收好,我就要把他們全部丟掉了。

▼B: OK! I will do it right now.
好啦,我現在就去收。

258

 MP3 Track 258

go with │動│ 與……搭配／交往

CH 1
CH 2
CH 3
CH 4
CH 5
CH 6

例句

Since I **go with** Jason, I have felt like the happiest person in the world.
自從我和傑森開始交往，我就覺得自己是世界上最快樂的人。

對話

▼A: Your skirt doesn't **go with** your shirt.
你的裙子和你的上衣不搭。

▼B: Why don't you mind your own business?
你管你自己的事吧！

▼A: Do you know that Roger is still **going with** Debby?
你知道羅傑還和黛比在一起嗎？

▼B: Yeah. I wonder how they can get along.
知道啊，我真懷疑他們怎麼相處的好。

259

 MP3 Track 259

lose sleep (over) |動| 因……失眠

例句

Every time I **lose sleep**, I drink some hot milk.
每一次我失眠的時候，都會去喝一些熱牛奶。

對話

▼ A: Why do you look so tired?
你為什麼看起來那麼累？

▼ B: I **lost sleep over** my work last night.
我昨晚因為我的工作而失眠。

....

▼ A: I **lost sleep** last night.,
我昨天晚上失眠。

▼ B: Me, too.
我也是。

260

 MP3 Track 260

work out (all right)
動 運動 / 有好結果

CH **1**

CH **2**

CH **3**

CH **4**

CH **5**

CH **6**

例句

You don't have to worry! Everything will **work out all right**.
你不需要擔心，一切都會有好結果。

對話

▼A: I always **work out** in the gym every Friday.
我每一個星期五都會在健身房運動。

▼B: Really? Can I go with you next time?
真的？下一次我可不可以跟你去？

▼A: I hope this project will **work out** at last.
我希望這個提案最後會有好結果。

▼B: No worries, we will make it.
別擔心，我們會成功的。

261

 MP3 Track 261

build up someone/ something
動 增進／建立

例句

After I **built up** good relationship with Harry, we share each other's feelings.
當我和哈利建立起好關係之後，我們會分享彼此的心情。

對話

▼A: Wow! You sure have a big appetite.
哇！你的胃口還真大。

▼B: Well, I am trying to **build up** some muscles.
我想要增加一些肌肉。

· ·

▼A: Why did the Browns **build up** a fence in their backyard?
布朗家為什麼在後院築了籬笆？

▼B: To keep other people out.
不讓別人進來。

262

 MP3 Track 262

get off
動 下（車、船等交通工具）

📀 例句

The phone rang when I **got off** the bus.
當我下公車的時候電話就響起了。

⚙ 對話

▼A: Can you tell me where I should **get off**?
你可不可以告訴我，要在哪裡下車？

▼B: Sure. Where do you want to go?
當然，你要去哪裡？

▼A: I was still very dizzy when I **got off** the ship.
我下船的時候很暈。

▼B: Take a plane next time.
下一次坐飛機吧！

CH 1
CH 2
CH 3
CH 4
CH 5
CH 6

263

 MP3 Track 263

go off | 動 響起 / 爆炸

例句

The firecracker **went off** and scared everyone.
鞭炮爆炸的聲響把大家都嚇壞了。

對話

▼A: Your alarm clock **went off** and rang for the whole morning.
你的鬧鐘響了一個早上。

▼B: I am sorry. I didn't hear it.
對不起，我沒聽見。

▼A: The balloon **went off** all of a sudden.
氣球突然就爆炸了。

▼B: Yeah, it scared me to death.
是啊，快把我嚇死了。

264

 MP3 Track 264

burn down / up ｜動 燒毀 / 燒掉

CH
1

CH
2

CH
3

CH
4

CH
5

CH
6

例句

I gathered up all the love letters he wrote to me and **burned them up**.
我把他寫給我的情書一起燒掉。

對話

▼ A: The whole forest was **burned down**.
整個森林都燒毀了。

▼ B: What caused the fire?
是什麼原因造成大火的。

....

▼ A: Why did you **burn down** the letters your father wrote you?
你為什麼要把你父親寫給你的信都燒掉？

▼ B: They reminded me of his death all the time.
它們總是提醒我他的死亡。

265

 MP3 Track 265

put down |動 放下／寫下

例句

The postman **put down** the huge package and then knocked the door.
郵差先生把一個大包裹放下，然後敲了門。

對話

▼A: Where do you want me to put this box?
你想要我把這盒子放在哪裡？

▼B: You can just **put it down** at the door.
你就放在門旁邊吧！

▼A: Can you **put down** your telephone numbers and address?
你可不可以寫下你的電話和住址？

▼B: What for?
幹嘛？

266

 MP3 Track 266

get lost | 動 迷路

CH
1

CH
2

例句

Because the girl **got lost**, she went to the police office for help.
因為小女孩迷路了，她跑到警察局尋求協助。

CH
3

CH
4

對話

▼ A: This is your first time in town. Be careful not to **get lost**.
這是你第一次進城，小心不要迷路了。

▼ B: OK. I'll stick close to you.
好的，我會緊跟著你。

CH
5

CH
6

▼ A: What took you so long?
你怎麼那麼久啊？

▼ B: We took the wrong turn and **got lost**.
我們轉錯彎，然後迷路了。

267

 MP3 Track 267

come / go along with someone
動 一起；贊成支持

例句

It may take time to persuade the boss to **go along with** the new proposal.
要說服老闆同意這個新提案可能要花一點時間。

對話

▼A: Did you come alone?
　　你自己一個人來嗎？

▼B: No, I **came along with** my friends.
　　不，我和我的朋友一起來的。

....

▼A: We are going to Kenting next month.
　　我們下個月要去墾丁。

▼B: May I **go along with** you?
　　我可以跟你一起去嗎？

268

 MP3 Track 268

be up to
動 忙於……的 / 取決於……的

例句

It **is up to** you what you want to do in the future.
你未來想要做什麼都取決於你自己。

對話

▼ A: What **are you up to** these days?
你們最近都在忙些什麼？

▼ B: Nothing much.
沒什麼。

▼ A: It **was up to** the boss to choose the new manager.
老闆要決定新的經理人選。

▼ B: I hope he will pick me.
我希望他會選我。

CH 1
CH 2
CH 3
CH 4
CH 5
CH 6

283

269

 MP3 Track 269

there's nothing the matter (with)/ there's nothing wrong (with) |名 ……沒事

例句

There is nothing wrong if you do not agree with my opinion.
如果你不認同我的意見也沒關係。

對話

▼ A: What's wrong with you? You don't look well.
你怎麼了？你看起來不是很好。

▼ B: **There's nothing the matter with** me; I am just tired.
我沒什麼，我只是有一點累。

▼ A: What's wrong with your child? Is she OK?
你的孩子怎麼了？她還好嗎？

▼ B: **There's nothing wrong with** her. She just caught a cold.
她沒什麼事，只是感冒了。

270

 MP3 Track 270

get it right | 動 做對

例句

You will save so much time if you **get things right** at the first time.

如果你一開始就做對，你將會省下非常多時間。

對話

▼A: We've done this before. Can you **get it right** by yourself this time?

我們已經做過這件事了，你可不可以自己把它做好？

▼B: I sure can.

我當然可以。

▼A: Did you **get it right**?

你有沒有做對？

▼B: No, I am going to ask the teacher.

沒有，我要去問老師了。

271

 MP3 Track 271

put something together
動 放在一起；組合；裝配；整理（思緒）

例句

I feel it is interesting to **put puzzles together**.
拼拼圖讓我覺得很有趣。

對話

▼A: Before I make a speech in public, I must **put** my thoughts **together**.
在公開發表演說之前，我必須把我的思緒整理一下。

▼B: So what would you usually do?
所以你通常都怎麼做？

▼A: Can you help me **put** my new computer **together**?
你可不可以幫我把我的新電腦組合起來？

▼B: I am not sure if I know how to do it.
我不確定我會不會。

272

 MP3 Track 272

get on with someone/ something

動 與……和睦相處 / 繼續

例句

It is important to **get on with** life with a positive attitude.
以積極的態度繼續生活是非常重要的。

對話

▼A: Hey! Go back and **get on with** your work.
你趕快繼續做你的工作。

▼B: I am only going to use the bathroom.
我只是要去廁所。

⋯⋯⋯⋯⋯⋯⋯⋯⋯⋯⋯⋯⋯⋯⋯⋯⋯⋯⋯⋯⋯⋯⋯⋯⋯⋯

▼A: Get off my back! I have to **get on with** my work.
別煩我,我要繼續我的工作。

▼B: It will only take a minute.
只要一下就好了。

273

 MP3 Track 273

in no time (at all) |副 很快 / 立即

例句

When Wendy entered the restaurant, the server came to her **in no time**.
當溫蒂走進到餐廳的時候，服務生馬上就往她走來。

對話

▼A: Can you wait for me? I will be back **in no time**.
你可不可以等我一下？我馬上就回來了。

▼B: Sure.
好。

▼A: Hurry up! We are late!
快一點！我們要遲到了。

▼B: Don't worry. We will be there **in no time**.
別擔心！我們很快就會到那裡的。

274

 MP3 Track 274

talk someone into (doing) something
動 說服某人的（做）……

例句

My mom **talked me into** moving back to my hometown.
我媽媽說服我搬回到家鄉去。

對話

▼ A: I can't believe that I let you **talk me into** this.
我真不敢相信我讓你說服我做這件事。

▼ B: Don't worry. Everything is going to be OK.
別擔心，一切都會很好的。

▼ A: Ray won't go to the party with us.
雷不要跟我們一起去參加派對。

▼ B: I will try to **talk him into** it.
我會去說服他的。

275

 MP3 Track 275

carry out something
動 實行 / 執行

例句

Sandy truly enjoys the time **carrying out** the project with her classmates.
珊迪非常享受和她的同學一起執行計畫的時光。

對話

▼ A: This program is **carried out** by our company.
這個方案是由我們公司執行的。

▼ B: Well, it seems that you did a great job.
看起來你們做的不錯。

▼ A: Jason, I heard you were looking for me.
傑森，我聽說你在找我。

▼ B: Yes, I was going to tell you that our plan will be **carried out** soon.
對，我要跟你說，我們的計畫將快要被執行了。

276

 MP3 Track 276

come true | 動 實現

CH 1
CH 2
CH 3
CH 4
CH 5
CH 6

例句

I wish that my dream of traveling all over the world could **come true**.
我希望我環遊世界的夢想會實現。

對話

▼A: Going to college is like a dream **come true**.
上大學像是美夢成真一般。

▼B: It sure is great!
那真的是很棒！

▼A: I feel frustrated because no one supports me.
我覺得很受挫，因為沒有人支持我。

▼B: Hey, I believe your dream will **come true**.
嘿，我相信你會實現你的美夢的。

277

 MP3 Track 277

run over someone or something | 動 輾過 / 壓過

🔍 例句

The truck **ran over** the passenger, and he died on the spot.

大卡車輾過那個路人，導致他當場死亡。

⚙️ 對話

▼ A: The car **ran over** the garbage.

那部車壓過垃圾。

▼ B: Oh my goodness!

天啊！

▼ A: I **ran over** a cat on my way home.

我在開車回家的路上壓過一隻貓。

▼ B: Oh my God! Poor thing.

天啊！可憐的東西。

278

 MP3 Track 278

hold a meeting |動 開會

CH 1

CH 2

CH 3

CH 4

CH 5

CH 6

例句

To tackle the knotty situation, we have to **hold a meeting** to figure out the solution.
為了要解決這個棘手的狀況，我們必須要開個會找出解決方案。

對話

▼A: We need to **hold a meeting** to discuss the new plan.
我們需要開一個會，討論一下新計畫。

▼B: OK. I will inform everyone.
好的，我會通知大家的。

▼A: I was absent yesterday. Anything new?
我昨天缺席了，有什麼新鮮事嗎？

▼B: The boss **held an** emergency meeting.
老闆開了一個緊急的會議。

279

 MP3 Track 279

keep an eye on someone/ something | 動 注意……

例句

You should always **keep an eye on** your personal belongings when you travel abroad.
你在國外旅行的時候,應該要隨時注意你的個人物品。

對話

▼ A: **Keep an eye on** that man. He doesn't look friendly.
注意那個人!他看起來不友善。

▼ B: OK, I will.
好的,我會。

▼ A: Can you **keep an eye on** my bag while I am going to the bathroom?
我去廁所的時候,你可不可以幫我看住我的包包。

▼ B: Sure thing.
沒問題。

280

 MP3 Track 280

be tied up
動 被……綁住／忙於……

例句

He **is** always **tied up** with his work, so it's impossible for him to spend time with family.
他總是忙於工作，所以根本不可能花時間陪他的家人。

對話

▼ A: Want to go fishing this weekend?
　　 你這週末要不要去釣魚？

▼ B: Sorry, I **am tied up** this week.
　　 對不起，我這禮拜都很忙。

▼ A: I haven't seen Jerry for a long time.
　　 我好久沒看到傑力了。

▼ B: He **is tied up** with his new job.
　　 他忙於他的新工作。

281

 MP3 Track 281

burst out (doing) |動 突然

例句

Everyone **burst out** laughing after hearing Nick's joke.

當大家聽到尼可的笑話，都笑了出來。

對話

▼ A: What happened when you told her the bad news?

你跟她說這個壞消息的時候，她有什麼反應？

▼ B: She **burst out** crying.

她突然哭了出來。

▼ A: Why does she **burst out** shouting?

為什麼她突然大叫？

▼ B: I have no idea.

我不知道。

282

 MP3 Track 282

be/get carried away
動 使……沖昏頭腦 / 使忘形

📀 例句

His compliments let me **get carried away**, and I didn't notice that he was telling a lie.
他的讚美讓我沖昏了頭，而我根本沒有注意到他在說謊。

⚙️ 對話

▼ A: He always **gets carried away** after a drink.
他總是在黃湯下肚後變的得意忘形。

▼ B: Yeah. Just look at the way he dances.
對啊，你看看他跳舞的樣子。

▼ A: I want to run away with Gary.
我想和蓋瑞私奔。

▼ B: Don't **get carried away**!
你別被沖昏了頭！

CH 1
CH 2
CH 3
CH 4
CH 5
CH 6

283

 MP3 Track 283

like crazy/ mad ｜副 瘋了一般

🔘 例句

Your jokes really make me laugh **like crazy**.
你的笑話讓我笑瘋了。

⚙ 對話

▼ A: He is working **like crazy** to earn more money.
他為了錢，瘋狂的工作。

▼ B: What does he need it for?
他需要錢幹嘛？

....

▼ A: I want to run away from my family.
我想要逃離我的家庭。

▼ B: You are **like crazy**.
你瘋了吧。

284

 MP3 Track 284

a handful of ｜形 一把／少量

例句

The hair designer grabbed **a handful of** hair and then cut it.
理髮師抓起了一把頭髮，然後剪掉它。

對話

▼A: You may need **a handful of** salt in that soup.
你可能需要在那湯裡加一些鹽。

▼B: What else do I need?
我還需要什麼？

▼A: We can only get **a handful of** people to help up at such short notice.
在這麼臨時的狀況下，我們只能找到一些人來幫我們。

▼B: It looks like we have to do our best.
看來我們只好盡力囉。

285

 MP3 Track 285

stand a (good) chance of (doing)
動 有……機會

例句

I **stand a good chance of** getting the offer because I did a good job in the interview.
我很有可能會錄取這份工作，因為我在面試時表現很好。

對話

▼ A: They **stand a good chance of** winning.
他們很有機會贏。

▼ B: I hope so.
我希望囉！

....

▼ A: He **stands a good chance of** getting the first place in this contest.
他在這個比賽中很有機會得第一名！

▼ B: I hope he would win.
我希望他會贏。

286

 MP3 Track 286

safe and sound |副 安然無恙

CH 1
CH 2
CH 3
CH 4
CH 5
CH 6

例句

I called my mom to make sure that she was **safe and sound**.
我打電話給我媽媽確認她平安無事。

對話

▼ A: Where was the baby when the fire happened?
大火發生的時候，小嬰兒在哪裡？

▼ B: She was sleeping **safe and sound** in my arms.
她很平安無恙的在我懷裡睡著了。

▼ A: The storm was horrible when we were out at sea.
我們出海時的暴風雨真的很可怕。

▼ B: Yeah. It's a miracle that we can get back **safe and sound**.
是啊，我們能夠安然無恙地回來真的是奇蹟。

287 MP3 Track 287

out of sight | 副 看不見

🔘 例句

The racecar was **out of sight** in just a few seconds.
那部賽車一下子就離開了我們的視線。

⚙ 對話

▼ A: I don't want to see you. Just stay **out of my sight**.
我不想看到你，你就離開我的視線吧！

▼ B: How can you be so rude to me?
你怎麼對我那麼無禮啊？

. . . .

▼ A: I tried hard to catch up to you, but you were **out of sight** in ten minutes.
我很努力想要跟上你，但是你在十分鐘之內就不見蹤影了。

▼ B: I should have slowed down my pace.
我應該要放慢我的步調。

288

 MP3 Track 288

break into | 動 闖入

例句

We should try to call police when a robber **breaks into** our house.

當有強盜闖入家門的時候，我們應該要嘗試打電話給警察。

對話

▼A: A thief tried to **break into** our house last week.

上星期一個小偷試圖闖入我們家。

▼B: Wow! What happened then?

哇！接下來發生了什麼事？

▼A: The fireman **broke into** the house and saved them.

那個消防員衝入房子裡，救了他們。

▼B: That was a close call.

那真的是千鈞一髮。

289

 MP3 Track 289

stick with someone/ something
動 和……在一起

例句

The little girl **sticks with** her sister everywhere.
那小女孩到哪裡都緊跟著她姐姐。

對話

▼ A: **Stick with** me and I will take you around.
　　跟著我，我帶你到處看看。

▼ B: Thanks, but I need some rest first.
　　謝了，不過我需要先休息一下。

▼ A: You have to **stick with** me in the night market, or you'll get lost easily.
　　在夜市裡你必須要好好跟緊我，不然你很容易走丟。

▼ B: OK. I'll bear that in mind.
　　好的，我會銘記在心。

290

 MP3 Track 290

play catch (with) |動 和人玩接球

例句

The father **plays catch with** his son on weekends.
那位父親每周末都和他的孩子玩接球。

對話

▼A: How come you have a black eye?
你怎麼有黑眼圈啊？

▼B: I **played catch with** my brother and got hit by the ball.
我和我弟弟玩接球，結果被球打到。

▼A: Let's go and do some exercise.
我們去運動一下吧！

▼B: Do you want to **play catch**?
你要不要玩接球？

CH 1
CH 2
CH 3
CH 4
CH 5
CH 6

291

 MP3 Track 291

get/ be mixed up
動 被搞糊塗；被弄亂了

例句

When the teacher explained the complicated history of the country, I was **mixed up**.
當老師解釋到這個國家的複雜歷史時，我覺得被搞糊塗了。

對話

▼A: I always get **mixed up** when it comes to math.
只要一提到數學，我就亂了。

▼B: Don't worry. I can help you with it.
別擔心！我會幫你的。

▼A: What road is this?
這是什麼路？

▼B: I don't know. I always get **mixed up** with all the roads' names.
我不知道，我總是被路名給搞混了。

292

 MP3 Track 292

over and over (again)
副 一而再，再而三

例句

The teacher explains the important concept **over and over again**.

這個老師一次又一次解釋這個重要的觀念。

對話

▼ A: What is the best way to succeed?

成功最好的方法是什麼？

▼ B: To practice **over and over again**.

一而再，再而三的練習。

....

▼ A: Could we take a rest, please?

我們可不可以休息一下？

▼ B: Yeah. We have singing the same song **over and over again** all afternoon.

對啊！我們整個下午一直都在唱同一首歌。

293

 MP3 Track 293

be in charge (of) | 動 管理

例句

Mr. Wang **is in charge of** the operation of the machine.

王先生負責這台機器的操作。

對話

▼ A: Who **is in charge of** this factory?

是誰負責這工廠的？

▼ B: I am.

是我！

▼ A: Don't you think we should change our plan?

你不覺得我們應該改變我們的計劃嗎？

▼ B: You'd better talk to Joe; he **is in charge of** everything.

你最好跟喬說，是他掌管一切。

294

 MP3 Track 294

be up to something | 動 想做……

CH
1

CH
2

CH
3

CH
4

CH
5

CH
6

🔍 例句

I am sure that Judy and Tom **are up to** something special.
我很確定茱蒂和湯姆想做些特別的事情。

⚙ 對話

▼ A: Mom and dad seem to **be up to** something.
媽媽和爸爸似乎在討論什麼？

▼ B: I hope that it is about our Christmas presents.
我希望那是關於我們的聖誕禮物。

•••

▼ A: I don't know what they **are up to**.
我不知道他們在幹嘛！

▼ B: Relax; there is nothing to worry about.
放心吧！沒什麼好擔心的。

295

 MP3 Track 295

dry up/ dry out | 動 晾乾

例句

I **dried out** my blankets in the sun.
我在陽光下晾乾我的毯子。

對話

▼A: I want to wear my green shirt.
我想要穿我的綠上衣。

▼B: You will have to wait until it **dries up**.
你要等它乾了再說。

....

▼A: The sun is coming out.
太陽要出來了。

▼B: Let's get the wet clothes to **dry up**.
讓我們把濕衣服拿出來晾乾吧。

296

 MP3 Track 296

take back something
動 收回 / 取回

CH 1

CH 2

CH 3

CH 4

CH 5

CH 6

例句

I need to go to Sam's house to **take back** my coat.
我必須要去山姆家拿回我的大衣。

對話

▼ A: I am sorry, and I **take back** what I said to you.
對不起，我收回我剛剛對你說的話。

▼ B: That's OK. I was very rude, too.
沒關係，我剛剛態度也不好。

▼ A: Can you **take this back** for me?
你可不可以幫我把這個拿回去？

▼ B: No problem!
沒問題！

297  MP3 Track 297

fall apart |動 散開／崩壞／瓦解

例句

The book was really old, so it **fell apart** when I took it.
這本書實在太舊了，所以當我拿起它的時候就散開了。

對話

▼A: I think this old chair is **falling apart**.
我覺得這老椅子要壞掉了。

▼B: Maybe it's because you are too heavy.
也許是因為你太重了。

＊＊＊＊＊＊＊＊＊＊＊＊＊＊＊＊＊＊＊＊＊＊＊＊＊＊＊＊＊＊＊

▼A: Our band **fell apart** after we graduated.
我們的搖滾樂團在我們畢業後就瓦解了。

▼B: What a pity!
真可惜！

298

 MP3 Track 298

all at once ｜副 突然

例句

All at once the man started to shout.
突然間，那個男人開始大叫。

對話

▼A: How did the accident happen?
車禍怎麼發生的？

▼B: I don't know. It happened **all at once**.
我不知道，一切都發生的很突然。

▼A: **All at once** this big dog came running to us.
突然這隻大狗向我們衝了過來。

▼B: It must have scared you.
一定讓你們嚇了一跳吧。

CH 1
CH 2
CH 3
CH 4
CH 5
CH 6

299

 MP3 Track 299

settle down | 動 安頓下來

例句

I promise my teacher I will go to visit her after everything **settles down**.
我承諾老師在我安頓下來之後就會去拜訪她。

對話

▼ A: How long will it take for you to **settle down**?
　　你需要花多少時間才能安頓下來呢？

▼ B: One week at least.
　　至少一星期。

▼ A: Welcome to move to this town.
　　歡迎搬來這個小鎮。

▼ B: Thank you. I hope I can **settle down** soon.
　　謝謝你，我希望我可以盡快安頓下來。

300

 MP3 Track 300

leave behind | 動 落後；忘卻在後

例句

I got **left behind** at school with English.
我在學校英文程度落後別人。

對話

▼ A: Why don't you go mountain climbing with them?
你為什麼不跟他們去爬山？

▼ B: I seldom exercise, so I am afraid that I will be **left behind**.
我很少運動，所以我很怕會落後。

▼ A: I want to **leave** the past **behind**.
我想把過去都忘記。

▼ B: It's a great idea.
這是個好主意。

CH 1
CH 2
CH 3
CH 4
CH 5
CH 6

爽學 002

爽學！無敵 300 常用片語

讓你用最短的時間，學會老外最常用的片語

作　　者	曾婷郁
顧　　問	曾文旭
編輯統籌	陳逸祺
編輯總監	耿文國
行銷企劃	陳蕙芳
執行編輯	林品萱
特約美編	九角設計
法律顧問	北辰著作權事務所　蕭雄淋律師、嚴裕欽律師

初　　版	2017 年 05 月
出　　版	凱信企業集團 - 凱信企業管理顧問有限公司
電　　話	(02) 2752-5618
傳　　真	(02) 2752-5619
地　　址	106 台北市大安區忠孝東路四段 250 號 11 樓之 1
印　　製	世和印製企業有限公司

定　　價	新台幣 299 元 / 港幣 100 元
產品內容	1 書 + 1MP3

總 經 銷	商流文化事業有限公司
地　　址	235 新北市中和區中正路 752 號 8 樓
電　　話	(02) 2228-8841
傳　　真	(02) 2228-6939

港澳地區總經銷	和平圖書有限公司
地　　址	香港柴灣嘉業街 12 號百樂門大廈 17 樓
電　　話	(852) 2804-6687
傳　　真	(852) 2804-6409

國家圖書館出版品預行編目資料

爽學！無敵 300 常用片語 / 曾婷郁著 . -- 初版 . --
臺北市：凱信企管顧問 , 2017.05
　面；　公分
ISBN 978-986-94331-4-3(平裝)

1. 英語 2. 慣用語 3. 會話
805.123　　　　　　　　　　　106004318

凱信企管

用對的方法充實自己，
讓人生變得更美好！

凱信企管

用對的方法充實自己，
讓人生變得更美好！

凱信企管

用對的方法充實自己，
讓人生變得更美好！

凱信企管

用對的方法充實自己，
讓人生變得更美好！